SE QUISER MUDAR O MUNDO

SABRINA FERNANDES

SE QUISER MUDAR O MUNDO

Um guia político
para quem se importa

 Planeta

Copyright © Sabrina Fernandes, 2020
Copyright © Editora Planeta do Brasil, 2020
Todos os direitos reservados.

Preparação: Thais Rimkus
Revisão: Fernanda Guerriero Antunes e Vanessa Almeida
Diagramação: Márcia Matos
Capa: Eduardo Foresti | Foresti Design

Dados Internacionais de Catalogação na Publicação (CIP)
Angélica Ilacqua CRB-8/7057

Fernandes, Sabrina
    Se quiser mudar o mundo: um guia político para quem se importa / Sabrina Fernandes. – São Paulo: Planeta, 2020.
    192 p.

ISBN 978-65-5535-174-3

1. Ciências Sociais - Obras populares 2. Política e governo 3. Sociedade 4. Marxismo I. Título

20-3218   CDD 320

Índices para catálogo sistemático:
1. Ciências Sociais

 Ao escolher este livro, você está apoiando o manejo responsável das florestas do mundo

2022
Todos os direitos desta edição reservados à
EDITORA PLANETA DO BRASIL LTDA.
Rua Bela Cintra, 986, 4º andar – Consolação
São Paulo – SP – 01415-002
www.planetadelivros.com.br
faleconosco@editoraplaneta.com.br

SUMÁRIO

Apresentação	7
PARTE 1 – O desejo de mudar o mundo	11
Introdução: Você quer mudar o mundo?	13
Interpretar o mundo	15
Transformar o mundo	22
Primeiro capítulo: Tudo é político	33
Conscientização	34
Projetos políticos	41
Teoria e ação	47
PARTE 2 – Ferramentas para mudar o mundo	57
Segundo capítulo: Para usar as ferramentas	59
Dialética	62
Materialismo histórico	67
Terceiro capítulo: O mundo como ele é	73
O sistema	73
Como o capitalismo se organiza	84
A gestão do sistema	93
Quarto capítulo: O mundo como poderia ser	107
Ideias para um mundo diferente	108
Formas de se organizar por outro mundo	138
PARTE 3 – Você e a mudança do mundo	145
Quinto capítulo: Os desafios do nosso tempo	147
Um sistema em movimento	148
Tendências perigosas	155
Conclusão: Nenhuma pessoa muda o mundo sozinha	161
Pautar alternativas é a única alternativa	163
Procuram-se camaradas	170
Agradecimentos	179
Lista de referências	181

Apresentação

Escrevi o grosso deste livro durante a pandemia do coronavírus em 2020, e não há como negar que a situação de calamidade no Brasil e ao redor do mundo influenciou as palavras a seguir. Mesmo que o assunto não seja a pandemia, que eu nem mesmo trate dela diretamente, uma crise sanitária letal que exige a interrupção de trabalhos e afeta negativamente as tendências de consumo é capaz de alterar planos econômicos, regimes de governo e a compreensão do que significa encarar vida e morte para bilhões de pessoas. Essas questões políticas se juntam à compreensão do universo político como um todo, antes, durante e depois do momento em que escrevo.

Como um guia didático e introdutório, este livro pretende ajudar na compreensão dos vários elementos políticos que atravessam a sociedade, principalmente no contexto dos desafios do século 21, de modo a guiar quem lê aos significados que podem nos aproximar das oportunidades de transformar radicalmente a realidade. É um texto introdutório, mas não abre mão da complexidade imposta pela própria realidade. Não oferece passo a passo nem receita de bolo. Não responde a todas as perguntas, pelo contrário.

Parece estranho, mas, se ao terminar este livro, você tiver mais perguntas, ou pelo menos novas perguntas, considero que a leitura foi um sucesso e que alcancei meu objetivo. Normalmente, um livro apresenta respostas, e tenho certeza de que incluí várias delas aqui, mas eu gostaria que meu trabalho fosse um começo, talvez um meio, porém certamente não um fim em sua trajetória para compreender melhor a realidade com o intuito de transformá-la. Há muito pela frente, em especial se você já se organizou politicamente ou se desejar fazê-lo após a leitura.

Este livro é radical. Ele tem lado, e eu sou explícita sobre isso no decorrer das páginas. É para quem quer mudar o mundo, mas não de qualquer jeito. Os conceitos e as análises de conjuntura partem de explicações marxistas da realidade, segundo uma perspectiva sociológica. Em geral, foco esses conceitos, mas não para que você decore um por um; meu desejo é que esses entendimentos formem seu arsenal de ferramentas para a mudança do mundo.

Eu acredito na didática, ciência que cabe a professores, comunicadores, mas também às discussões do dia a dia. Não é sobre simplismos ou sobre "mastigar" assuntos de modo a estabelecer uma relação mecânica entre "instrutor de conhecimento" e "receptor de conhecimento". Infelizmente, com a corrida de informação dos tempos atuais, somada à desigualdade de nível educacional formal na sociedade, muito se confunde entre o didático e o simplista. Existem conteúdos complexos que não fazem sentido sem uma base anterior de conhecimento e reflexões. Por isso, desta vez decidi escrever um livro mais iniciante; ainda assim, me esforcei ao máximo para evitar simplismos. Acredito que a tarefa de apresentar algo de forma introdutória sem ser simplista, em um projeto que não se aprofunda (ainda) e, mesmo assim, não se mostra raso, segue como uma das tarefas mais preciosas de qualquer pessoa que se enxerga/atua como professora.

A didática aqui segue uma lógica de degraus em que fundamento o interesse e o método, para então apresentar conceitos e fechar com discussões mais atuais da conjuntura em geral. É para auxiliar quem lê a subir cada degrau por conta própria. Desconfie de propostas que prometem carregá-lo escada acima. Tais propostas são muito fáceis para quem escreve, pois não têm compromisso com o aprendizado. A didática que não subestima, que facilita, mas não alimenta de colherada, é muito mais difícil de executar.

Espero que, com a leitura, não importa em qual degrau se encontre no início, cada pessoa se sinta mais preparada para os desafios políticos à vista e até mesmo para textos mais complexos, que se localizam alguns degraus adiante. E também espero que, durante e depois da leitura, as alternativas apresentadas cativem a curiosidade e inspirem pertencimento político. Como explico à frente, a situação está tensa e precisamos de camaradas. Este livro traz esse chamado. Aguardo ansiosamente sua resposta.

PAR

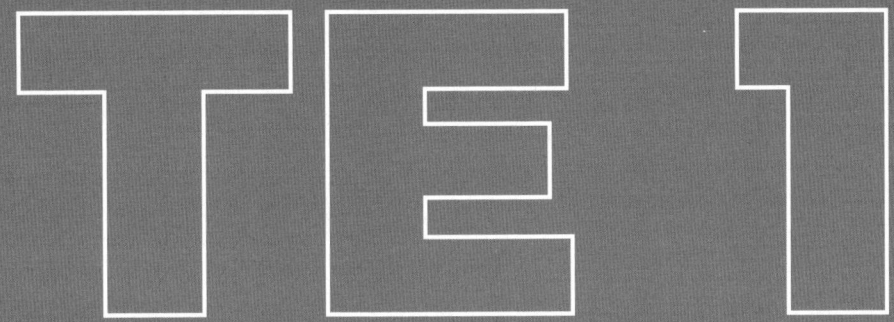

O DESEJO DE MUDAR O MUNDO

Há dias em que, com a enorme quantidade de notícias ruins que recebemos, parece que o mundo está de cabeça para baixo. Se você se preocupa com isso e tem interesse em aprender sobre o que gera esses problemas e o que seria necessário para solucioná-los, boa leitura. Se já começou essa jornada, espero que encontre respostas (e novas perguntas) úteis a partir da perspectiva radical que apresento. Se é sua primeira vez, agradeço a confiança de começar por aqui.

INTRODUÇÃO

Você quer mudar o mundo?

"Somente podem ser proféticos os que anunciam e denunciam, comprometidos permanentemente num processo radical de transformação do mundo, para que os homens possam ser mais. Os homens reacionários, os homens opressores, não podem ser utópicos. Não podem ser proféticos e, portanto, não podem ter esperança."
Paulo Freire[1]

A observação da realidade é um ato poderoso. Vivemos um contexto em que estamos ocupados o tempo todo. Devemos trabalhar todas as horas exigidas em contrato – e um pouco mais, se quisermos melhorar de vida. Para milhões de brasileiros que trabalham na informalidade, todo o tempo existente, todas as horas de seu dia são, potencialmente, de trabalho. Isso pesa no corpo e na mente e, por vezes, torna-se difícil observar o que acontece ao redor, até mesmo o que está logo à frente.

Para piorar, somos expostos a uma quantidade enorme de informação todos os dias – mais do que um ser humano é capaz de absorver e entender com o devido cuidado. Parece contraditório, mas os excessos podem atrapalhar por causa da sobrecarga, do cansaço e da confusão gerados por interpretações opostas e algumas, até mesmo, completamente falsas. Como é possível

---

1. Paulo Freire, *Conscientização: Teoria e prática da libertação* (São Paulo: Centauro Editora, 2001), 32.

sermos bombardeados por mensagens, artigos, vídeos, áudios todos os dias nos aplicativos de celular, nas redes sociais e nos meios mais tradicionais de comunicação, como a televisão e o rádio, e ao mesmo tempo constatarmos que sobra pouca oportunidade para de fato observar a realidade?

Há uma diferença entre receber informação e todas as outras coisas necessárias para fazer com que a informação recebida faça sentido. Veja bem, em apenas um dia no Twitter, é possível receber informações e opiniões sobre praticamente todos os assuntos de relevância, mas o teor de cada tuíte difere e há, certamente, grandes conflitos de interpretação – e até mesmo sobre os fatos em si. Na era atual, em que se fala tanto de "pós-verdade", por causa das *fake news*, do volume de dados, do bombardeio de retóricas diferentes, é completamente possível receber muita informação e se sentir absolutamente confuso no fim do dia. Por isso, é importante desenvolver seus próprios instrumentos de compreensão do mundo, especialmente se deseja, em algum sentido, transformá-lo. Afinal, se entender o que já existe não é fácil, imagine só a missão colossal que é compreender a situação para melhorá-la. Isso exige bastante de nós.

Tendo em vista o tamanho dessa exigência, escrevi este livro para auxiliar nessa tarefa, no caminho a ser trilhado. Pode ser que algumas informações aqui não sejam novidade, mas outros pontos, sim. O que vejo como mais importante é que um "guia político" não seja entendido como um manual de instruções rígido e imutável, pois o objetivo é realmente outro. Não se trata de seguir passos de um a dez, mas de desenvolver a capacidade de compreender politicamente a realidade sem precisar de guias e, principalmente, de gurus. Ou seja, você não vai encontrar uma receita de bolo, mas espero que, ao fim da leitura, sinta-se mais à vontade para explicar o papel de cada ingrediente, quais podem ser substituídos e pelo quê, que tipo de ajustes de temperatura faz sentido para cada massa e, quem sabe, sinta mais preparo para criar ou aprimorar as próprias receitas. A ideia deste livro seria a de um farol que ilumina trajetos, mas não substitui os pés a caminhar. E não se preocupe caso alguns termos específicos lhe pareçam estranhos, pois explicações surgirão.

O desenvolvimento da autonomia política passa por algumas etapas, e não é possível simplesmente absorver a habilidade alheia de analisar a realidade. Por isso mesmo, ressalto o valor da observação. A observação é apenas uma das várias maneiras de averiguar o que chega a nós. Ela é acompanhada do ato de questionar, da crítica, do diálogo, do experimento e da reflexão contínua. Ao fim, todas essas ações precisam se costurar em uma prática transformadora. Essa junção, essa síntese, é algo que vou discutir como "práxis".

INTERPRETAR O MUNDO

Um simples exercício de observação pode revelar muita coisa, inclusive o que está propositadamente escondido de nós. Vejamos.

Estamos no século 21 e sabemos que a sociedade humana avançou bastante em termos de padrão de desenvolvimento e qualidade de vida. Dominamos a agricultura e desenvolvemos diversas tecnologias, por milênios. O desenvolvimento de inteligência artificial não surge do nada, mas após acúmulos profundos da ciência na história. O mesmo pode ser dito sobre o sistema econômico, pois o capitalismo não surgiu quando éramos uma sociedade nômade, mas quando estávamos enraizados ao redor de diversos meios de produção e divisão do trabalho. Ao mesmo tempo, uma breve observação indica que esses avanços são desiguais e contraditórios. Tratemos da parte da desigualdade primeiro.

Desigualdade, como o nome já diz, é a ausência de igualdade; todavia, vale apresentar que igualdade não significa sempre o mesmo para todo mundo. Falar de igualdade de oportunidades, por exemplo, é diferente de falar de igualdade na base da sociedade. Igualdade de oportunidades significa nivelar aspectos do histórico diferenciado de vida de, por exemplo, João e Camila para que eles possam competir de igual para igual. Já tratar de igualdade pela base da sociedade significa mexer nas estruturas para que elas não cheguem a produzir tantas diferenças de histórico além de questões pessoais e para que não seja necessário competir por pouquíssimas oportunidades.

Trata-se da diferença entre promover maior investimento no ensino básico para que estudantes de escolas particulares e de escolas públicas possam competir de igual para igual – alternativamente, eliminar a divisão entre os setores privado e público na educação, ampliando o acesso – e abolir sistemas seletivos excludentes como o modelo vestibular. Isso é importante porque o aluno da escola pública pode enfrentar mais desafios que apenas no espaço de domínio da escola, como o transporte para chegar lá, problemas de saneamento em seu bairro e a violência cotidiana na periferia. Falarei um pouco mais sobre isso, mas já posso nomear aqui que faltam ambos os tipos de igualdade na sociedade. Não basta pensar só na ponta das oportunidades e esquecer que o próprio sistema econômico em que estamos inseridos normaliza as exclusões.

Posso dizer que nossa sociedade é desigual, e ninguém disposto a observar discordaria disso. Uma pessoa poderia justificar essa desigualdade de alguma forma, tentar normalizá-la e dizer que não há como viver sem desigualdade. Poderia até mesmo dizer que a desigualdade existente é justa, de alguma maneira, apelando para algum conceito de justiça que naturaliza a desigualdade por meio de noções seletivas acerca de mérito, herança, cultura, identidade, nacionalidade, desenvolvimento, capacidade, raça, gênero, sexualidade e classe. Porém, se ela é capaz de observar o mundo e entende a desigualdade como um problema sistêmico, a conclusão será outra.

Ao ver a desigualdade como reprodução de diferenças sistêmicas na realidade, diferenças que não ocorrem só no nível do indivíduo, mas que são generalizadas no âmbito de sistemas econômicos, políticos e sociais e que efetivamente dividem a sociedade humana em polos de direitos, acessos, garantias, liberdades e propriedades, ninguém pode discordar da afirmação de que "o grosso da sociedade humana moderna é extremamente desigual". A observação nos permite um ponto de partida para entender o mundo e, daí, necessita ser complementada com uma lente de interpretação que qualifica os conceitos.

É a lente de interpretação que influencia as noções mencionadas sobre desigualdade e informa se algo deve ser normalizado ou transformado. E é assim que nascem as diferenças teóricas e ideológicas que enfrentamos no dia a dia. É o que faz deste livro um objeto diferente dos volumes produzidos por figuras da direita conservadora no Brasil, por exemplo. Enquanto eles tentam normalizar a desigualdade existente, um Brasil com pobreza, desigualdade, violência e exclusão, meu argumento vai na direção contrária.

É preciso normalizar a radicalidade, *não o que já é normal*; ou seja, transformar a realidade para que aquilo que parece distante ou radical demais hoje possa ser o estado normal das coisas amanhã. Creio ser importante enfatizar isso porque existe uma ideia equivocada sobre o papel dos "radicais" e dos "extremos" na política. Trata-se de uma noção que ganhou bastante apelo nos últimos anos, especialmente depois que a gente passou a viver sob as políticas e conflitos do governo Bolsonaro, classificado também como extrema-direita.

Talvez você já tenha ouvido falar de algo chamado "teoria da ferradura", talvez não. Pois bem, a tal teoria da ferradura propõe a existência de uma "linha ideológica" que transita entre esquerda numa ponta, centro no meio e direita na outra ponta. Mas não seria uma linha reta, e sim uma linha que se curva nos extremos, como uma ferradura. Nesse desenho, a "extrema-esquerda" estaria perto da "extrema-direita", e isso indicaria que, em vez de opostas, elas seriam bastante parecidas em termos de programa e método. Há certo debate sobre qual intelectual seria o proponente dessa teoria, mas é visível como ela se popularizou recentemente, ainda mais quando notamos que, ao apontar problemas no governo Bolsonaro, jornalistas e acadêmicos insistem em compará-lo com governantes da esquerda radical, não com governantes também de extrema-direita que compartilham dos ideais e da conduta de Bolsonaro.

Essa teoria implica erros. Um deles é que, tanto no campo de esquerda quanto no da direita, existe diversidade de programas e práticas, e não se pode interpretar uma experiência socialista, por exemplo, como a única forma possível de o socialismo existir. São vários projetos diferentes no socialismo, entre reformistas e revolucionários, e vários na extrema-direita também. Donald Trump nos Estados Unidos, Boris Johnson no Reino Unido, Juan Guaidó na Venezuela e Jair Bolsonaro no Brasil não são todos iguais, mas pertencem ao mesmo campo. Por isso, faria muito mais sentido compará-los entre si em vez de tentar uma comparação superficial entre Bolsonaro e Nicolás Maduro.

Apesar das críticas possíveis ao governo Maduro, ele deve ser comparado em relação ao campo em que transita – é o que permite identificar com mais sucesso onde ele erra e onde ele acerta em relação a seus objetivos socialistas. Comparações no estilo da teoria da ferradura não aprofundam sobre programa político, mas reproduzem visões rasas sobre os acontecimentos. Há crise na Venezuela e no Brasil? Sim. Isso não significa, todavia, que são crises iguais ou que decorrem de ações parecidas de seus governantes. Não é sábio promover esse tipo de equivalência baseada mais na forma e na aparência que no conteúdo.

Comparações rasas com frequência ignoram um fator importantíssimo, que é o contexto histórico, e outro, também essencial, que é a qualidade das informações fornecidas. Nesse sentido, faz-se necessário, para uma boa análise crítica dos erros e dos acertos da experiência soviética, buscar historiografia de qualidade sem a influência da propaganda anticomunista da época ou de posturas exageradamente apologéticas.

Quer dizer que não podem existir semelhanças entre governos de esquerda e de direita? Claro que sim! Em outro contexto, até já cheguei a me referir a tais como "buracos de minhoca ideológicos" – e prefiro isso à superficialidade promovida pela teoria da ferradura.

No modelo dos buracos de minhoca, a ideologia se distribui como plano ou campo. Em vez de uma simples linha reta, temos algo mais parecido com uma folha de papel. Um jeito famoso de explicar isso é propondo que se pegue uma folha de papel e marque um "X" em um canto e um "X" em outro. Normalmente, para percorrer a distância entre os dois pontos, seria necessário percorrer uma linha inteira.

No caso de um buraco de minhoca, surge um atalho pela distorção da folha de papel. Dobre a folha de papel de forma que os pontos fiquem alinhados, um em cima do outro, e aí faça um furo. O furo é o atalho, o buraco de minhoca. Em vez de algo comum que aproxima a extrema-esquerda da extrema-direita, como propõe a teoria da ferradura, o atalho é, na verdade, uma distorção por parte da esquerda ou da direita que gera coincidências e acordos pontuais (e não precisa ser nos "extremos", especialmente porque na analogia do papel o "extremo" não é uma ponta, mas se parece mais com um nível de intensidade).

Voltando um pouco no tempo, a explicação dos termos "esquerda" e "direita" corresponde à localização física de jacobinos e girondinos na Assembleia Nacional Constituinte da Revolução Francesa, onde jacobinos argumentavam pelo aprofundamento da revolução, e girondinos, pela mera reorganização social.

Os objetivos da direita são fundamentalmente diferentes dos objetivos da esquerda. Enquanto na direita os valores operantes normalizam a ordem política e econômica, a esquerda se baseia na construção de alternativas, que podem ser pequenos ajustes pautados pela ideologia liberal (como pela esquerda liberal, que em geral atua rumo ao centro) ou podem buscar algumas reformas sem que questionem diretamente os grupos dominantes (como na esquerda social-democrata,[2] que se junta à esquerda reformista numa posição moderada). Já na esquerda radical, as mudanças são, obviamente, mais radicais e exigem uma postura anticapitalista e contra as opressões. Aqueles que fazem parte da esquerda radical e defendem uma revolução para construir alternativas compõem o subgrupo de esquerda revolucionária. Este livro traz argumentos nesse sentido.

Por isso, também é importante afirmar a distinção entre o comunismo (que é de esquerda) e o fascismo (que é de direita). O que pode ocorrer são pequenos encontros ideológicos, como quando um partido de esquerda adere a políticas punitivistas de direita, gerando um "buraco de minhoca", um caminho que une pontos diferentes do espaço ideológico sob condições raras. Aqui, argumento que o encontro resulta de falhas de análise da esquerda sobre como abordar o tema da criminalidade, pois é incompatível que a esquerda considere que "bandido bom é bandido morto", como vemos em discursos da extrema-direita.

Os extremos não são iguais, e, quando elementos políticos coincidem, é muito mais proveitoso compreender a dimensão do erro e apresentar uma política realmente coerente. No caso, para a esquerda, seria a compreensão de que o punitivismo não resolve o problema da criminalidade e pode até mesmo contribuir com ele. O trabalho posto é descobrir qual é a raiz do problema e consertar ali mesmo. "Radical" provém de "raiz". Se quisermos realmente consertar problemas como esses, como a desigualdade que discuti há pouco, a radicalidade nos abre caminhos. A tentativa de apelar para o centro, descartando a transformação radical da sociedade como perigosa ou similar à extrema-direita, mata alternativas e fecha caminhos.

---

2. A classificação da social-democracia na esquerda pode ser contestada, especialmente quando se considera a posição de social-democratas contra socialistas. Há também partidos políticos que se promovem como social-democratas, mas sua atuação se dá na centro-direita ou até direita moderada.

A transformação radical não é fácil, pelo contrário. É sempre mais rápido, mais leve e mais barato operar na superficialidade. O exemplo da criminalidade e da violência se aplica bem nesse caso. Observamos que a sociedade brasileira é afligida por crimes contra a pessoa e a propriedade e que o encarceramento é crescente; todavia, muitos crimes não são resolvidos, resultando em sensação de impunidade, enquanto tantos outros não são prevenidos, gerando sensação de insegurança. O tráfico de drogas se insere nesse contexto, já que entre 2006 e 2016, após a aprovação da Lei das Drogas, o número de pessoas presas cresceu em 81%.[3]

Estudos acadêmicos e peças de jornalismo investigativo já revelam há muito tempo que a chamada "guerra às drogas" falha em conter o tráfico, reproduz padrões de violência e argumentos antiquados sobre as causas do vício e opera efetivamente como uma "guerra aos pobres".[4] A Plataforma Brasileira de Política de Drogas apontou em relatório que uma política focada na proibição como caminho prioritário, ou seja, uma política proibicionista, gera um ciclo vicioso de violência, aumenta o encarceramento, custa caro e estigmatiza corpos negros e periféricos.[5] No quesito de custos, vale destacar que é comum contabilizar os gastos com enormes operações policiais e militares, mas também cabe considerar que, caso o mercado de drogas fosse regulamentado, seria possível cobrar impostos sobre a venda de certas substâncias tidas como ilegais e educar abertamente os usuários. Basta pensarmos na regulamentação sobre a venda de bebidas alcóolicas hoje: no passado, já foram proibidas em lugares e períodos específicos.

Como afirmou Maria Lúcia Karam, "os alvos nessa guerra são os mais vulneráveis dentre produtores, comerciantes e consumidores das drogas proibidas; os 'inimigos' nessa guerra

---

3. Plataforma Brasileira de Política de Drogas, "Droga é caso de política", 2018, 51.

4. Johann Hari, *Na fissura: Uma história do fracasso no combate às drogas* (São Paulo: Companhia das Letras, 2018).

5. Plataforma Brasileira de Política de Drogas, "Droga é caso de política".

são seus produtores, comerciantes e consumidores pobres, não brancos, marginalizados, desprovidos de poder".[6]

Baseando-se apenas nisso, é possível identificar que a questão das drogas é extremamente complexa e que a solução padronizada nas últimas décadas não passa de uma falsa solução. A guerra às drogas apresenta a ilusão de que algo está sendo feito enquanto aprofunda a crise em seus vários eixos: das pessoas mortas e encarceradas por uma política errada (racista e genocida) às famílias de pessoas acometidas pelo vício e que não recebem o suporte adequado. O tratamento dado pela guerra às drogas é, portanto, superficial. Ele não trata da raiz. Não por acaso, aqueles que apoiam essa política também rejeitam a radicalidade das propostas de descriminalização e legalização. São os mesmos que promovem caricaturas, imagens simplistas, ridículas ou deformadas do que significa ser radical – justamente para nutrir rejeição contra políticas radicais. Em certos casos, preferem discursos rasos que culpam somente o consumo, não as políticas públicas.

TRANSFORMAR O MUNDO

É fácil resolver problemas graves e sistêmicos? Não. Modificar algo pela base requer uma operação elaborada, com potenciais e riscos. Exige identificar oportunidades, mas também criar as condições para que oportunidades surjam. É como tentar consertar o alicerce de uma casa de dois andares: é muito mais trabalhoso que colocar apoios ao redor da casa. Pode ser que tenhamos que colocar mais colunas e trocar outras. Pode ser até mesmo necessário trabalhar tanto na base a ponto de alterar todo o andar superior. A casa nunca mais será a mesma. Parte dela é mantida, outra parte é fruto das reformas. Isso é

---

6. Maria Lúcia Karam, "Proibição às drogas e violação a direitos fundamentais", *Law Enforcement Against Prohibition–LEAP Brasil*, 2013, 19.

mexer na estrutura, e é a isso que a transformação radical da sociedade se propõe.

Um processo assim é difícil, e é por isso que a gente deve observar as contradições presentes na realidade. Algumas contradições são resultado da coincidência entre A (o momento em que mudamos as coisas) e B (os problemas se renovam, se adaptam, ressurgem). Ao mesmo tempo que (A) agricultores do Movimento dos Trabalhadores Rurais Sem-Terra (MST) conquistam mais espaço como produtores de alimentos orgânicos, (B) o governo brasileiro permite novos e maior variedade de agrotóxicos na produção agrícola. Essas são contradições do sistema, as quais permitem que os problemas se renovem e nunca sejam completamente contornados. São contradições que só eliminaremos mexendo na estrutura pela qual o sistema se replica e se organiza.

Mesmo que algumas modificações individuais ajudem no caminho, apenas a transformação sistêmica poderá resolver para todas as pessoas – não somente aquelas mais dotadas de escolha. Adiante, indicarei elementos mais detalhados sobre como a contradição está presente na nossa vida, principalmente quando olhamos para as possibilidades de mudar o mundo por meio de nossas ações individuais e coletivas.

Por enquanto, vale ilustrar esse tipo de contradição de quando falamos dos desafios de construir uma sociedade ecossocialista – o tipo de sociedade que advogarei no decorrer deste livro – enquanto o capitalismo segue dominando o conjunto das relações sociais. Enquanto propomos e lutamos por uma versão mais radical e transformada da sociedade, o sistema dominante capitalista determina as relações de produção e consumo, a exploração do trabalho, a pobreza, a desigualdade e o impacto ecológico.

Isso fica evidente naquele tipo de pergunta que anticapitalistas ouvem por aí: como é possível ser socialista vivendo em um país capitalista? Parece uma contradição, não? Pois aí está a questão-chave. Ser socialista num país capitalista só é uma contradição enquanto o país não se torna socialista; ou seja, se o objetivo é se livrar da contradição pessoal, é possível fazer isso cedendo ao capitalismo ou mudando a realidade para corresponder ao projeto político almejado. Ao ceder, a contradição social não deixa de existir, o que nos leva à demanda de mudança da realidade. Isso exige bastante luta social, pois um sistema não muda da noite para o dia simplesmente por causa do desejo de alguns. É necessário que isso seja pelo desejo de uma maioria e que esse desejo se traduza em ações concretas.

Outro exemplo seria viver em uma grande cidade cheia de poluição da indústria e do transporte ao mesmo tempo que se deseja um planejamento urbano mais sustentável. O exercício de observação indica que a escolha de deixar de viver em sociedade não muda a sociedade e que qualquer luta de transformação social terá que considerar viver com o que se quer transformar. O que fará da decisão algo realmente transformador é aprender a identificar a raiz do problema e agir contra tal.

Aqui a questão é que o planejamento urbano é um problema mais à base, enquanto a escolha individual de viver naquela cidade é um problema mais ao telhado. É importante alinhar as telhas para evitar goteiras, especialmente em época de chuva. Todavia, se as paredes estão tortas e o alicerce vem rachando, outros problemas surgirão e potencializarão as goteiras. Mudar para outra cidade não resolverá os problemas da anterior nem evitará que o novo município trilhe o mesmo caminho. Afinal, o sistema que alimenta todas essas relações é o capitalismo e sua fome de acumulação, que gera pressões ecológicas no modo de vida do ser humano.

Nesse sentido, quando discutimos sustentabilidade, é necessário, sim, olhar para o consumo, principalmente o consumismo como ideologia dominante e o padrão de consumo de países abastados, que se baseia numa noção de qualidade de vida que mais se preocupa com a quantidade de coisas que alguém deve ter do que com a qualidade do tempo com a família e o acesso pleno à saúde.[7] Isso exige pautar outra visão sobre o que de fato é, ou pode ser, uma vida abundante.

Como são vários padrões de consumo diferentes distribuídos de forma desigual ao redor do mundo, não adianta fazer uma abordagem simplesmente focada no consumo. É necessário mexer na produção, em especial no sistema econômico que alimenta um ciclo de produção infinita, para consumo infinito, para acumulação infinita por parte dos donos dos meios de produção.

Isso significa que, enquanto alteramos formas de consumir, a produção segue em parte como antes e em parte se adapta a novas demandas de mercado. A produção como um todo não passa a ser sustentável com essa mudança na demanda, mas cria um nicho de produção "verde" desde que seja, na maioria, atrelada a lucro. A contradição do sistema é mantida e, se a contradição sistêmica persevera, não há como fugir, individualmente, da contradição formal e simbólica de ser contra a ordem vigente enquanto ela vigora.

Por isso, creio ser fundamental falar das contradições da realidade e nunca as esconder. Em 2019, assisti a uma palestra da Angela Davis em que ela disse que precisamos encarar as contradições, até mesmo e especialmente aquelas em nosso campo, com maior naturalidade.[8]

Quando Davis fala em "nosso campo", ela fala de socialismo (do qual ecossocialismo é corrente). Para quem é socialista, a contradição não pode ser um bicho-papão nem deve ser vista como sinal de que nada presta ou de que se deve "jogar o bebê fora com a água do banho". Muito pelo contrário, pois a contradição é reveladora. Ela deve nos fazer questionar por que as coisas não vão tão bem quanto desejamos e proceder com a busca

---

7. Miriam Lang, "Introdução: Alternativas ao desenvolvimento", in *Descolonizar o imaginário: Debates sobre pós-extrativismo e alternativas ao desenvolvimento*, ed. Gerhard Dilger, Miriam Lang e Jorge Pereira Filho (São Paulo: Fundação Rosa Luxemburgo, Editora Elefante, Autonomia Literária, 2016), 27.

8. Angela Davis, "A liberdade é uma luta constante [Palestra]", in *Seminário Internacional "Democracia em colapso?"* (São Paulo: SESC | Boitempo Editorial, 2019).

por uma resolução. Contradição não se cura com um pequeno curativo, mas se resolve cirurgicamente.

Karl Marx e Friedrich Engels são os pioneiros responsáveis pela lente de enxergar o mundo que emprego neste livro, conhecida como materialismo histórico e dialético. Tudo o que escrevi aqui e que você lerá parte dessa perspectiva específica. O materialismo histórico e dialético me interessa porque não se contenta em interpretar o mundo, embora essa interpretação seja importante e fundamental para o método. Não por acaso, venho discutindo a importância da observação e da reflexão. A questão é que é preciso mudar o mundo. Essa conclusão parte de uma tese, a tese onze, na qual Marx diz que "os filósofos têm apenas interpretado o mundo de maneiras diferentes; a questão, porém, é transformá-lo".[9]

Interpretar é importante, mas o conhecimento deve servir a algo, e esse algo vai moldar como se produz esse conhecimento.

(Não se assuste caso tenha ouvido algumas coisas estranhas sobre Marx por aí. Existe uma razão para o medo que certos setores sociais e econômicos sentem do marxismo.)

Para Marx e Engels, a história como a conhecemos é uma história de conflitos sociais, que gira em torno da propriedade e do trabalho, da produção e da reprodução da vida.[10] Se há conflito, há tensão, há incômodo, há contradição. São elementos que se repetem no decorrer do tempo – nunca absolutamente iguais, mas em tendências e paralelos. Na história, grupos dominaram outros grupos, e os meios de dominação atravessaram a propriedade: da terra, das ferramentas, do trabalho comprado ou forçado, de fábricas, maquinários, patentes, algoritmos e até mesmo de corpos. Assim é uma história da luta de classes.[11]

---

9. Karl Marx, "Theses on Feuerbach", in *Selected Writings* (Indianapolis: Hackett Publishing Company, 1994).

10. Friedrich Engels, "Engels to J. Bloch - In Königsberg", *Selected Letters*, 1890.

11. Karl Marx e Friedrich Engels, *Manifesto do partido comunista* (São Paulo: Boitempo Editorial, 1998).

Resolver as tensões dessas relações de oposição exige muita imaginação, e é por isso que gosto tanto de como Wright Mills descreve a "imaginação sociológica".[12] Para o autor, é preciso compreender a relação entre a história da sociedade e nosso encaixe nessas histórias – e é preciso fazer perguntas que iluminem essa relação. Peço que você exercite sua imaginação durante a leitura deste livro, pois algumas coisas talvez apareçam como demasiadamente ousadas. Mas resolver contradições também exige ousadia para agir e para pensar fora da caixinha.

Uma contradição da realidade material é uma relação de opostos no mesmo lugar. Isso é diferente de uma incoerência ou uma hipocrisia, porque, nesses casos, a direção tomada é uma, mas a incoerência gera um desvio, uma anormalidade. Quando algum grupo na esquerda promove machismo, trata-se de incoerência. É um elemento não compatível com o rumo tomado, e a solução é voltar para a trilha. Já numa contradição social, não se trata de um pequeno desvio, mas de algo que parte de uma situação e/ou gera uma consequência que torna aquele algo problemático em si.

Por exemplo, hidrelétricas são fontes de energia tecnicamente menos poluentes que o petróleo ou o carvão. Por isso, hidrelétricas são mais compatíveis com uma matriz energética que busca minimizar a emissão de gases de efeito estufa. Contudo, isso não quer dizer que as hidrelétricas não possuem impacto ambiental e/ou social negativo. Belo Monte foi feita para auxiliar na soberania energética do Brasil, mas o potencial da usina está diretamente associado ao estrago socioambiental que causa para povos e bioma locais. Isso não é mera incoerência ou um desvio que pode ser corrigido, mas uma contradição da construção de Belo Monte ter ocorrido apesar de toda a oposição indígena, ambientalista e de vários outros setores.

Diversas grandes iniciativas que parecem melhores para o meio ambiente podem ser extremamente contraditórias ao con-

---
12. C. Wright Mills, *A imaginação sociológica* (Rio de Janeiro: Zahar, 1982).

siderarmos outros fatores. A questão é quem coloca os prós e os contras na balança e decide ir além, mesmo com tantos contras, em vez de investir mais tempo em alternativas. No fundo, é uma escolha entre bancar a contradição ou superar a contradição com respostas melhores.

Uma vez, caminhava pelo centro do Rio de Janeiro com meu amigo Gabriel Tupinambá e discutíamos o "horizonte comunista" e os desafios postos no caminho (isso foi antes de Jair Bolsonaro presidente, que viria a ser um desses desafios). Nunca me esqueço dessa conversa e menciono neste ponto porque dali saiu minha certeza sobre a complicada missão de mudar o mundo: queremos transformar as coisas e, depois, teremos outras coisas a modificar. Não vivemos o fim da história hoje, tampouco a história acabará se tivermos sucesso na empreitada. Depois de uma vitória, a vida segue, e novos desafios também.

No jogo das contradições, o objetivo é sanar problemas, mas ciente de que a tarefa implica criar novos problemas. Espero que problemas menores, que surgirão de uma raiz social mais emancipada e menos adoecida, mas, mesmo assim, problemas.

Raiz é chave aqui, e da raiz vem o radical. Este livro é radicalmente enviesado, e não tenho medo de admitir isso; ou seja, é um livro abertamente de esquerda, de esquerda radical, e tudo o que apresentarei é informado por objetivos políticos de transformação do mundo rumo a uma sociedade ecossocialista. Gostaria que você pensasse nesse caráter de esquerda o tempo todo, pois esse viés, essa influência, corresponde a um lado da batalha, do conflito geral e da história.

Na política há negociações, concessões e contenção de danos, mas isso não significa que não existem lados. Conhecer bem os lados é fundamental para compreender as vitórias e as derrotas e os momentos de negociação, reformas e aqueles recuos dados para reavaliar e reorganizar. Negar isso é, de cara, ceder ao sistema vigente e rejeitar possibilidades transformadoras. Esse é um caminho mais fácil, pois parte do senso comum para retornar a si mesmo. É um caminho em que se produz senso comum, despolitização e se busca esconder oportunidades para o diferente e para a superação. Por aí, esse caminho é conhecido por negar ideologias, como se fossem coisa do passado. O que ocorre, porém, é que esconde que essa escolha em si é ideológica.

Apresentarei à frente algumas definições-chave de forma resumida, como a de ideologia, mas creio ser importante começar pelo entendimento de que conversas como "nem esquerda nem direita" criam rejeições formais em nome de um suposto "diálogo" e "meio-termo". Mas há meio-termo possível entre o racismo e o antirracismo? Só um pouco de racismo? Não parece fazer sentido ficar em cima do muro.

O diálogo é sempre bem-vindo, mas não pode ser entendido como meio-termo entre o aceitável e o inaceitável, entre o razoável e o ilógico. O objetivo do diálogo não é ceder ao meio-termo para não desagradar a ninguém (e, no fim, desagradar a ambos os lados um pouco), mas criar sentido comum que leve a uma direção a partir do confronto das ideias e dos fatos. Dialogar de verdade não é sobre negar ideologias, mas sobre encontrar meios de entendimento e pontes de significado de modo a disputar a compreensão do outro para a versão que defendemos da realidade. É onde encontramos alianças mais verdadeiras e processos genuínos de conscientização que convençam da importância de mudar o mundo por inteiro, não só pela metade.

Se o objetivo é mudar o mundo, não apenas corrigir um ou outro excesso temporariamente, a tarefa é difícil. Ao observar as desigualdades presentes e as contradições dos processos, é útil questionar. Sugiro algumas perguntas diretas e alguns temas específicos. Você quer mudar o mundo? O que é preciso compreender sobre o mundo hoje e sobre os processos de mudança? De onde vem sua insatisfação? Como não cair no derrotismo? É possível se manter neutro ao ver os problemas da sociedade? Como compreender uma sociedade globalmente desigual em que o Brasil figura como um dos maiores representantes da desigualdade econômica e racial?

As mulheres avançaram muito nos últimos séculos, e suas conquistas se deram por muita luta organizada; todavia, o feminicídio e o estupro ainda são realidade constante, assim como o machismo cotidiano. A situação é agravada se tratando de mulheres negras e trans.

Em paralelo, o Brasil ainda não se livrou da estrutura colonial, na qual a relação entre o agronegócio e os povos indígenas e quilombolas é de apropriação e violência. A falta de reforma agrária no campo pode ser sentida diretamente na comida que chega – ou não chega – ao prato. A conjuntura se torna ainda mais confusa quando termos como "democracia", "golpe", "ditadura", "fascismo", "autoritarismo", "comunismo", "esquerda", "direita" e muito outros são propagados com significados contrários ou cheios de ilusões.

Nem junho de 2013 nem a eleição de Bolsonaro se explicam de forma resumida em um meme, embora muitos tentem. Enquanto isso, o tempo necessário para que a classe trabalhadora se organize e a esquerda recobre a confiança para liderar está cada vez mais escasso. Mas por que o caminho é à esquerda e como convencer uma maioria disso? Ademais, a crise é ecológica, então qualquer projeto político de esquerda precisa apresentar soluções concretas sobre isso; caso contrário, estará fadado à incoerência e ao fracasso.

De certo modo, o que está em jogo quando se decide ou não mudar o mundo é a própria possibilidade de chegarmos ao século 22 como sociedade saudável, sustentável e distante das distopias de um planeta arrasado que vemos na ficção.

Há uma contradição entre querer mudar o mundo e como o mundo atualmente existente segue se autorreproduzindo diante da oposição. Nosso papel é mexer na base para que o mundo atualmente existente não engula nossas utopias. Temos que construir o suficiente para tirar o mundo do nosso leque de opções de sistema. Isso pede rupturas, não apenas reformas (embora elas tenham importância imediata em certos contextos).

Não basta querer, é necessário entender o que se quer, traçar um plano de execução que varia de acordo com contexto histórico e geopolítico e finalmente executar o plano por meio de um conjunto de táticas e estratégias que reconhecem o nível de dificuldade da tarefa e os contra-ataques, as reações, no caminho.

A contradição existe, em parte, porque o mundo que queremos não é um completo oposto do mundo que não queremos, mas uma superação do que rejeitamos. O objetivo não é transformar a Terra em Marte (ou Marte em Terra, como alguns bilionários almejam), mas aproveitar os ganhos de melhoria de vida da sociedade enquanto se eliminam os elementos que condicionam os ganhos, quais sejam: a desigualdade, exploração, destruição e retrocessos sociais.

Nesses termos, quando se fala de revolução global, é preciso compreender que, para uma revolução ter sucesso, a tarefa é muito menos de substituição da ordem anterior e muito mais de tornar a ordem anterior indesejável, superável e, finalmente, obsoleta. A fita cassete ficou obsoleta, ultrapassada e deixou de ser um meio geral de veiculação musical não porque alguém queria substituí-la, mas porque o que veio depois tornou a fita obsoleta em qualidade, conveniência, comunicação, alinhamento com o desenvolvimento digital, entre outras coisas.

Se quiser mudar o mundo, seu objetivo precisa ser estabelecer algo melhor, mais desejável e mais sustentável, buscando os materiais possíveis para essa construção. Se quiser mudar o mundo, é preciso tornar o capitalismo obsoleto. É menos sobre substituí-lo e mais sobre ultrapassá-lo. Espero que as páginas a seguir ajudem a explicar o porquê para que trabalhemos coletivamente na parte de "como".

PRIMEIRO CAPÍTULO

Tudo é político

"Não pode aprender todas estas coisas em brochuras ou em folhas volantes; tal educação ele a adquirirá na escola política viva, na luta e pela luta, no decorrer da revolução em marcha."
Rosa Luxemburgo[13]

A política faz parte de todos os elementos centrais da vida, e, por isso, não há como simplesmente "lavar as mãos" e supor que problemas sociais são responsabilidade alheia. Preciso, porém, explicar isso com clareza. Já vi análises bem-intencionadas por aí sobre o "tudo é político" que logo desaguaram em uma forma de patrulha da vida de terceiros, como se tudo fosse questão de meras escolhas individuais – escolhas simples – e aquelas pessoas que não fizessem as escolhas corretas devessem ser julgadas e repreendidas. Não é esse o caminho que quero tomar, então enfatizo a importância de levarmos em conta as contradições existentes entre o individual e o coletivo, o particular e o universal, o micro e o macro. Sim, eles se retroalimentam, mas como o nível micro é cheio de pequenas diferenças, das experiências específicas às questões de desigualdade, a habilidade de escolher no micro é constantemente abafada pelas tendências do macro.

---
13. Rosa Luxemburgo, *Greve de massas, partido e sindicatos* (1906) (Coimbra: Centelha, 1974).

CONSCIENTIZAÇÃO

Isso afeta até a possibilidade de conscientização. A conscientização não é um processo mecânico, não pode ser ensinada em passos. Também não é um processo de tendência natural, em que, ao passar por certas experiências, a pessoa sai com mais consciência social. Creio ser importante falar disso, porque se ouve por aí que quanto pior a coisa fica, mais próximos estaremos da explosão do conflito, pois a classe trabalhadora chegará ao limite e agirá de pronto. Historicamente, vemos momentos em que a fome e a guerra levaram milhões a agirem, mas também momentos em que a fome e a guerra levaram milhões à morte. Não há fórmula de conscientização nem de organização para mudar o mundo que possa ser ensinada neste livro ou copiada de uma tentativa passada. O que temos são aprendizados, boas práticas, solidariedade, imaginação e instrumentos que nos ajudam no caminho.

Em minha opinião, o maior especialista em "conscientização" é o pedagogo brasileiro Paulo Freire. Paulo Freire é muito difamado em certos meios no Brasil, mas também é bastante aclamado por pessoas, ao redor do país e mundo todo, que trabalham com educação popular e/ou acreditam que a educação é uma ferramenta-chave para emancipar pessoas. Ele explica que a conscientização é "tomar posse da realidade".[14] O contrário da conscientização seria, então, quando a realidade é percebida de forma mascarada, como fantasia, com elementos distantes e falsos.

Conscientização não é só adquirir algum tipo de conhecimento, mas fazer uso desse conhecimento em seu contexto de vida. É quando o conhecimento faz sentido e cria pontes para maior compreensão, para mais acesso e para desafiar as inverdades que mantêm as coisas como elas são. A essas coisas dominantes, inseridas numa estrutura social e política, chamamos frequentemente *status quo*. Essa expressão em latim define

---
14. Freire, *Conscientização: Teoria e prática da libertação*, 33.

aquilo que precisamos mudar na realidade vigente se quisermos transformar o mundo.

Tomar posse da realidade torna alguém agente político consciente. Nossas decisões compõem a política no cotidiano, mas ter consciência dessas decisões e suas consequências potencializa essa agência. A potência se torna maior ainda quando se juntam grupos de agentes políticos conscientes e dispostos a intervir na realidade. Por isso, marxistas falam tanto de "consciência de classe". Para além de compreender sua posição como trabalhadora explorada no mundo, a consciência de classe incentiva a ação para alterar essa realidade coletivamente, já que não se trata de apenas uma pessoa trabalhadora explorada, mas um grupo na mesma condição – mesmo que em funções, tempos e lugares diferentes.

Quando se fala de consciência de classe, a discussão presume que, como classe trabalhadora, ela existe "em si" dentro de sua relação de trabalho. O trabalhador consegue se reconhecer como trabalhador. Ele levanta todos os dias, vai para o trabalho e faz o mesmo que outros colegas. Formam uma classe "em si". Porém, o objetivo é que a classe também passe a existir "para si"; ou seja, consciente de como existe em si, mas também em relação a uma classe que a domina e explora. O "para si" pode ser visto como alvo do processo de conscientização em um contexto de luta e organização. Não se pode esperar que ocorra espontaneamente,[15] mas como parte de esforços de politização. Existir como trabalhador é político.

O processo de conscientização é exatamente isso, um processo. Eu não posso obrigar alguém a se conscientizar da realidade; é necessário abrir a mente para reflexão e questionamentos constantes. O que posso fazer é apontar uma base para essas questões e essas interpretações que sejam compatíveis com o objetivo de tomar posse do mundo. Por isso, a conscientização é

---

15. Rafael de Almeida Andrade, "Trabalho, ontologia e consciência de classe: A classe 'em-si e para-si' em György Lukács", *Revista Aurora* 12, n. 1 (2019): 115.

necessariamente algo que ocorre no contexto da busca por liberdade. Por liberdade, não quero dizer a noção vulgar e individualizada em que seres humanos desejam mais liberdade para si, à custa da saúde, da felicidade, da qualidade de vida e dos direitos dos outros. Liberdade aqui significa justamente a relação entre autonomia e ausência de opressão e exploração.

Paulo Freire sempre foi ousado nesse sentido. De seus ensinamentos, concluímos que não somos livres se nossa liberdade depende da servidão do outro. Uma vez que o outro precisa ser oprimido para que um seja "livre", toda condição social é manchada pela relação de opressão.

Quando há conscientização, é possível identificar esses elementos a ponto de escolher rejeitá-los. A conscientização permite perceber que as relações em que estamos inseridos fazem parte de níveis complexos de decisões e estruturas políticas.

A rua em que você caminha não surgiu por acaso. Se a rua em que mora é asfaltada, isso é fruto de decisões políticas. Se não é asfaltada e fica repleta de buracos quando chove, isso também é política. Esquecimento também é política. Em 2010, o Instituto Brasileiro de Geografia e Estatística (IBGE) analisou a qualidade de equipamentos públicos ao redor de domicílios no Brasil, e a ausência de pavimentação e calçadas era proporcionalmente maior em domicílios de pessoas não brancas que de pessoas brancas.[16]

Quando é tarde da noite e uma mulher volta a pé do trabalho, seu comportamento pode ser diferente do de um homem que nas mesmas condições caminha, no mesmo horário. Se ela sente medo, se ela atravessa a rua quando vê alguém, se ela anda com a chave entre os dedos, isso é político. O medo que ela sente é dela, é subjetivo, mas o fundamento desse medo tem a ver com estatísticas e histórias que atravessam o que é ser mulher em uma

---

16. IBGE, "Censo demográfico 2010: Características urbanísticas do entorno dos domicílios", *Censo demográfico 2010* 41 (2012): 1-81.

sociedade machista. De acordo com pesquisa do Datafolha para o Fórum Brasileiro de Segurança Pública, 43% dos brasileiros presenciaram algum tipo de assédio feito por homens contra mulheres, e 66% das mulheres entre 16 e 24 anos sofreram algum tipo de assédio em 2018.[17]

O que observamos é que o que vivemos resulta de um emaranhado de decisões, posições, ações e projetos políticos. Nossas escolhas acabam esbarrando nisso, de uma forma ou de outra. Por esse motivo é importante observar como o político habita todos os espaços, mas sem promover uma banalização da escolha política.

Há, por exemplo, uma diferença entre um brasileiro lusófono que afirma um gosto musical que só contém produção em língua inglesa e rejeita material em português e um brasileiro lusófono que também gosta de músicas em inglês além de outras línguas. No primeiro caso, *pode ser* que todo o conjunto da visão da pessoa seja afetado por uma perspectiva específica sobre arte e linguagem que impõe limites aos gostos. Sua subjetividade acabaria presa numa postura mais colonizada da música. No segundo caso, *pode ser* uma mistura do mero reflexo entre gosto, aprendizado de línguas, indústria da música, globalização e tantos outros eixos que seguem atravessando aquilo que é político, mas se misturam mais intensamente com as particularidades, com as subjetividades do ouvinte.

Duas perspectivas ajudam aqui. Do ponto de vista macro, uma sociedade global que não subjuga aquilo que vem da periferia do mundo, dos países que foram colonizados e subdesenvolvidos, contribuiria por maior amplitude de opções e gostos sem influência direta da ideologia que afirma que tudo o que vem dos Estados Unidos ou da Europa seria melhor. Aqui entra a importância de levar nossa música para fora também e equilibrar o espaço para as diversas influências.

---

17. Datafolha e Fórum Brasileiro de Segurança Pública, "Visível e invisível: a vitimização de mulheres no Brasil", 2. ed., 2019.

Do ponto de vista micro, temos a conscientização de que nossas escolhas não ocorrem em um vácuo. Existem níveis de construção social que afetam até mesmo nossos gostos mais pessoais. No caso de um time de futebol, uma pessoa pode escolher determinado clube por ser tradição em sua família ou escolher outro justamente por rejeitar a tradição de sua família – ou até mesmo preferir o vôlei ao futebol. Como a pessoa transita entre essas possibilidades de escolha tem a ver com suas funções de observação e reflexão. Também é assim quando observamos a política ao redor e, então, tomamos posse da realidade para conhecer melhor nossas escolhas, rejeitar aquelas que não mais convêm, abraçar as que fazem sentido e mergulhar na árdua tarefa de compreender e trabalhar com as contradições que surgirem, principalmente quando existe menos escolha e mais imposição social em um contexto.

Essas são questões do cotidiano, das quais é difícil escapar. Mas há escolhas em que o peso político não pode ser relevado nem mesmo momentaneamente e é preciso agir com total consciência das consequências políticas do que é feito e/ou proposto.

Um exemplo disso é o voto. O ato de votar pressupõe que a eleitora, ou o eleitor, avaliou as opções apresentadas e tomou uma decisão baseada em suas convicções políticas. Pois bem, sabemos que nem sempre é o caso. Existem votos feitos por afinidade pessoal, por tradição ("sempre votamos na família X"), por acordo prévio (de promessas de ajuda a cargos) e até mesmo voto aleatório – por exemplo, aquele em que alguém pergunta ao amigo o número de um candidato a deputado estadual, porque ainda não tinha escolhido algum.

A questão é que tais decisões, mesmo quando tomadas com pouca ou nula reflexão, possuem efeito direto na sociedade, e este não pode ser neutralizado. Apesar de o voto ser um exemplo bastante óbvio, o caso serve para tantas outras ações. Minha escolha de escrever este livro é profundamente política. A proposta segue um intuito político. Cada capítulo foi pensado dessa mesma forma. Até a linguagem que escolhi parte dessa consciência sobre ensino, diálogo e, confesso, o desejo de recrutar mais pessoas para transformar o mundo.

bell hooks (no minúsculo, como escolha política de grafia da própria autora) é uma pedagoga feminista negra que muito me ensinou e segue ensinando. Em seu livro *Ensinando a transgredir*, ela argumenta justamente isso quanto à atividade de ensino:

> Meu compromisso com a pedagogia engajada é uma expressão de ativismo político [...]. A opção por nadar contra a corrente, por desafiar o *status quo*, muitas vezes tem consequências negativas. E é por isso, entre outras coisas, que essa opção não é politicamente neutra.[18]

Para bell hooks – e para mim –, o *status quo* pode ser defendido ou desafiado, mas desafiar definitivamente exige mais coragem. É mais difícil desafiar a ordem, o que se soma ao risco de reação repressora. Quando a permanência ou a mudança do *status quo* se apresentam, a forma como enxergamos isso é tremendamente política, e o que fazemos é determinante. A coincidência entre a consciência que entende que deve desafiar a realidade e a ação desafiadora é o que nós – pedagogos críticos e/ou marxistas – chamamos de "práxis". Conscientização política deve levar à práxis política.

A conclusão de que "tudo é político" ou de que a "política está em tudo" significa que a política é inescapável. E, se é inescapável, torna-se difícil manter neutralidade ou isenção diante dela. Quando há muito em jogo, escolher uma postura supostamente neutra contribui, por padrão, com o lado que está ganhando. É como entregar a decisão para o outro time por W. O.

É conveniente para aqueles que ocupam a maioria das posições de poder na sociedade que as pessoas escolham se manter neutras diante de grandes questões políticas. A neutralidade diminui o atri-

---

18. bell hooks, *Ensinando a transgredir: A educação como prática da liberdade* (São Paulo: Editora WMF Martins Fontes, 2013), 267.

to, diminui o conflito e torna o trabalho dos poderosos muito mais fácil para se protegerem diante daqueles que escolhem desafiar.

Apesar de sua leitura equivocada sobre o marxismo em certos aspectos,[19] seu histórico de luta e entendimento da opressão era integralmente de esquerda e informa uma citação específica de Martin Luther King Jr. Em seu livro *Stride Toward Freedom: The Montgomery Story*, ele conclui que "aquele que aceita passivamente o mal está tão envolvido nele quanto aquele que ajuda a perpetrar isso. Aquele que aceita o mal sem protestar está realmente cooperando com ele".[20] Trata-se evidentemente de uma conclusão contra a ilusão da neutralidade.

O outro lado dessa conclusão, aquele focado em quem age em solidariedade, é encontrado em uma citação do revolucionário marxista e argentino-cubano Ernesto Che Guevara: "Se você é capaz de tremer de indignação a cada vez que se comete uma injustiça no mundo, então somos companheiros".[21]

Ambas as citações se referem a "tomar lado". Enquanto Martin Luther King Jr. alerta para o perigo de se pretender neutro diante de situações de opressão, Che Guevara ressalta a unidade em se posicionar conjuntamente contra as injustiças. Isso não significa se posicionar sem parar sobre cada situação individual, mas inserir as ocorrências em posicionamentos viáveis no micro

---

19. O pastor Martin Luther King Jr. relata nesse livro um pouco de seu encontro com o marxismo. É notável que algumas impressões que ele atribui a Karl Marx não possuem fundamentação direta em trechos da obra do filósofo alemão. Enquanto Luther King abraça a crítica marxista ao capitalismo, ele parece ter a impressão de que o marxismo seria uma doutrina que suprime as expressões individuais. Minha hipótese é de que o lutador dos direitos civis foi influenciado por elementos da propaganda anticomunista da época, especialmente quando ele se refere ao comunismo como sistema totalitário, além de interpretações conhecidas como "estruturalistas" e que negariam o peso da agência do ser humano na história. Falarei mais sobre o comunismo em breve a fim de desmistificar mais alguns equívocos que até hoje são propagados.

20. Martin Luther King Jr., *Stride Toward Freedom: The Montgomery Story* (Nova York: Harper & Row Publishers, 1958) (tradução livre).

21. Ernesto Che Guevara, "A María Rosario Guevara – La Habana, 20 de Febrero de 1964 – Sobre Cartas" (La Habana, 1964) (tradução livre).

com a leitura do problema sistêmico. É impossível se posicionar diante de cada uma das bilhões de situações de opressão que ocorrem no mundo, simplesmente porque aí encontramos um problema de proporção e escala. Uma pessoa sozinha não consegue cuidar de cada caso individual que ocorre. Tentar fazer isso pode causar muita frustração e até mesmo adoecimento. É importante, porém, fazer algo que está ao alcance, mas não conseguirá fazer tudo sozinho.

Entender essa questão da escala nos ajuda a considerar como o micro e o macro estão relacionados e não devem ser vistos como espaços ou momentos diferentes de ação. Tratar dessa relação evita aquele risco de se pronunciar sobre absolutamente tudo, mas não fazer absolutamente nada, tampouco aquilo que faz parte do seu cotidiano. Evita também o fatalismo, sentimento de impotência de quando há tanto para fazer e tão pouco tempo. É por isso que precisamos definir princípios e posições políticas gerais que apontam o caminho para cada situação e exigem uma construção que conecta nosso campo individual com o campo coletivo – em várias escalas geográficas diferentes. Simplificando, é disso que falamos na esquerda quando discutimos a importância de um "projeto político".

PROJETOS POLÍTICOS

Quando falo de projeto político aqui, refiro-me não a uma ideia apenas, ou a um projeto específico, como uma creche a ser elaborada, planejada e executada. Gostaria que pensassem como um Projeto político, com "P" maiúsculo. O Projeto político de uma organização ou campo político se relaciona com o horizonte ao qual se quer chegar. Ele contém um plano geral, mas não uma receita com ingredientes fixos e etapas rígidas de execução.

É impossível ter certeza absoluta do impacto de cada proposta para a sociedade, pois são muitos fatores, que mudam historicamente. Falar de revolução hoje é diferente de falar de revolução há cem anos, embora siga assunto relevante e necessário. Hoje temos meios de comunicação diferentes, um mundo globalizado em que uma crise em um país pode afetar seriamente a economia de outro a milhares de quilômetros de distância, um sistema de produção de mercadorias muito mais complexo e tantas muitas diferenças. Por isso, um projeto político contém bastante do que ambicionamos, mas como o faremos depende de muita reflexão e construção de capacidade. Se a gente não constrói capacidade, um sonho é só um sonho. Se a gente trabalha nossa capacidade, ganhamos novas ferramentas e um sonho se torna possibilidade – talvez realidade, como diria Raul Seixas.

O projeto político, projeto de sociedade, que defendo é o ecossocialismo. Eu não posso lhe dizer quais passos seguir para chegar ao ecossocialismo, porque não se dá esse tipo de direção para a realização de um projeto político. Não é como pedir direções de sua casa para a farmácia mais próxima ou mesmo de Brasília a Salvador. Todavia, um projeto como esse exige, sim, um tipo de direção, que é o trabalho ativo de militantes políticos para orientar o rumo das ações de acordo com cada avaliação da realidade.

O ecossocialismo é um projeto revolucionário não porque "revolucionário" soa mais intenso, mas porque se entende que não será possível construir uma sociedade de fato transformada sem uma grande ruptura com o capitalismo. Cada vez que tentamos reformar o capitalismo, esse sistema se renovou. E o problema de reformas graduais é que elas são facilmente revogadas, e contrarreformas são instaladas assim que se torna necessário para os ricos cortar prejuízos. Avaliar isso é parte da tarefa de compreender e estabelecer a direção para um projeto político.

No caso do ecossocialismo, qual é o projeto? Construir uma sociedade com o máximo de emancipação humana em equilíbrio ecológico. Isso significa uma sociedade em que trabalhadores sejam devidamente recompensados pelos frutos de seu trabalho sem que uma minoria rica lucre com isso. Significa planejar os grandes eixos de produção para que exista menos desperdício e que os impactos – que sempre vão existir, pois a sociedade humana altera a natureza – sejam minimizados e pensados de acordo com princípios de renovação e sustentabilidade. A produção deverá ser baseada em energia renovável, e trabalhadores poderão *viver e trabalhar*, em vez de *viver para trabalhar*, como hoje.

Uma sociedade ecossocialista também precisa ser feminista, antirracista, inclusiva quando o assunto é gênero e sexualidade e acessível para corpos diversos para que realmente cumpra o objetivo de emancipação humana. Isso não significa simplesmente decretar uma lei contra o feminicídio, por exemplo. Aliás, você já deve ter percebido que a presença de leis criminais não significa que crimes deixarão de acontecer. Processos de criminalização tentam adereçar os problemas na ponta final, especialmente após ocorrerem.

Há políticas públicas que acompanham certos processos penais, como a Lei Maria da Penha, que visam prevenir, não somente punir, mas é seguro afirmar que a maioria das leis criminais não é implementada hoje como parte de um conjunto de políticas preventivas. Então, para impedir as opressões e, assim, evitar novas vítimas e novos agressores, uma sociedade ecossocialista precisa se basear em outros valores e em estruturas não excludentes, nem em termos de classe, nem de gênero, nem de sexualidade, nem de raça/etnia.

Da mesma forma, é importante combater a formação de uma hierarquia entre as diferentes características físicas de seres humanos, pois isso gera discriminação e exclusão a partir da imagem falsa e idealizada de supostos "capazes" acima de "incapazes" e afeta especialmente pessoas com deficiência, neurodiversas e com doenças crônicas ainda sem cura.

Essa falsa oposição se constitui em visões capacitistas do corpo ideal, que normalizam o impacto da pobreza e da desigualdade em quem não atende às exigências da sociedade sobre o corpo considerado "normal". Todos apresentamos diferenças físicas, e há grande neurodiversidade entre nós. Portanto, a tarefa é construir políticas sociais de acessibilidade e suporte que adaptam essas diferenças em vez de torná-las em mais uma norma de desigualdade social sustentada pela perspectiva capacitista. Parece lindo na teoria, mas e na prática?

Essa é a questão. Lembra-se de quando falei da tese onze de Marx? Que não basta interpretar o mundo, que é preciso transformá-lo também? Transformação é uma ação prática que não pode ser prevista em passo a passo. Uma das razões para isso é que a realidade é dinâmica, possui vários movimentos ao mesmo tempo por atores diferentes. Então, enquanto transformarmos algo de cá, outra coisa pode acabar mudando de lá, e teremos que reavaliar nosso plano de ação.

Imagine se, na vontade de construir o ecossocialismo, nós simplesmente *copiássemos* coisas relacionadas às revoluções do século passado? Estaríamos perdidos, pois não vivemos na mesma conjuntura de sovietes, Duma e Exército Vermelho. As guerras que enfrentamos hoje são outras. O correto, então, não é copiar, mas aprender com experiências passadas, incorporar – e adaptar – o que ainda é relevante e descartar o que ficou ultrapassado ou que avaliamos hoje como erro.

Podemos aprender, por exemplo, que os sovietes eram importantes formas de organizar os trabalhadores. Eram conselhos de trabalhadores que surgiram a partir de 1905 – e é de onde vem o termo "soviético". Por meio dos sovietes e de como eram organizados, as pessoas oprimidas tinham voz e participação ativa em importantes decisões do processo revolucionário. Isso representa uma visão alternativa de democracia, diferente do pensamento comum sobre um sistema de eleição do Executivo central e do Legislativo em diferentes níveis de acordo com uma periodicidade preestabelecida.

É possível simplesmente copiar o Congresso dos Sovietes de toda a Rússia no Brasil do século 21? Definitivamente não. Mas é possível tomar lições sobre esse tipo de organização e sobre as vantagens de participação e governança nas fábricas e no campo para outro tipo de democracia. Afinal, o ecossocialismo também é um projeto de sociedade democrático. De fato, a própria definição do que é democrático e do que não é varia bastante – questionaremos um pouco isso adiante.

Mas se não dá para replicar, como fazer? Aqui a gente volta àquele conceito de mais cedo: práxis. A práxis é quando teoria e prática se completam e se resolvem. Se a teoria erra, a prática aponta isso. Se a prática está errada, a teoria pode identificar também. Quando elas se complementam, mudanças ocorrem – e, de acordo com a tese onze, é justamente por isso que queremos que teoria e prática se complementem.

A interação entre a teoria e a prática tem que ser contínua e compromissada. Processos de conscientização são influenciados por teoria e prática. O pensador italiano Antonio Gramsci (sim, ele mesmo!) dizia que, quando vivemos sob exploração, nossa consciência fica dividida. Podemos ter boa consciência teórica da prática da exploração, como quando o trabalhador sabe que trabalha seis dias por semanas, mas seu patrão tira férias uma vez por mês. No entanto, se houver também uma consciência teórica advinda do senso comum, e não do senso crítico, não haverá conscientização, e o trabalhador terá uma consciência contraditória. Como resultado, ele pode interpretar a situação de desigualdade de poder como mérito do patrão ou achar que não há nada a ser feito.[22] Pode até mesmo concluir que seu objetivo deve ser tornar-se alguém como o patrão.

Se a ideologia dominante na sociedade for a capitalista, que reafirma os interesses do sistema vigente, ela vai influenciar esse desalinhamento para que o trabalhador não tome consciência do que lhe ocorre com o intuito de transformar a situação. É por isso que capitalistas não gostam de práxis, mas de produções ideológicas que mascaram a realidade.

---

22. Antonio Gramsci, "The Gramsci Reader: Selected Writings 1916-1935", ed. David Forgacs, *New York University Press* (Nova York: New York University Press, 2000), 333.

Hoje a gente fala das notícias falsas que se espalham pelos "zaps" da vida, mas a ideologia que prevalece na sociedade já distorce e esconde muita coisa. Várias explicações da realidade que chegam a nós são construídas de forma a parecer verdade, mas se tratam de mentiras em sua raiz. Palavras conhecidas ou novas são usadas para representar algo diferente do que deveriam significar. Desse jeito, qualquer coisa passa a significar alguma outra coisa, e fica difícil estabelecer um consenso, um significado comum na hora de observar e avaliar a sociedade. A esse fenômeno, chamo "despolitização".[23]

É como quando dizem que os governos do Partidos dos Trabalhadores (PT) no Brasil foram uma ditadura comunista. As palavras "ditadura" e "comunista" são conhecidas, mas com o tempo tiveram seus significados esvaziados e trocados pela influência da ideologia dominante. Por quê?

Porque para eles é interessante confundir as pessoas sobre o que é comunismo; assim, torna-se difícil ganhar trabalhadores para esse projeto político e fica mais fácil criminalizá-lo. Para eles também é interessante distorcer o significado de ditadura, pois é o que permite que Bolsonaro relativize o golpe de 1964, que homenagens a Augusto Pinochet sejam feitas até hoje no Chile e que se apaguem da história que o movimento revolucionário liderado por Che Guevara e Fidel Castro conseguiu justamente derrotar a ditadura de Fulgencio Batista, apoiado, à época, pelo governo estadunidense.

Há em jogo uma disputa sobre significados, e isso torna a tarefa de politização mais urgente, mas mais difícil. O senso comum está tomado por confusão e falsas conclusões sobre a realidade. É bem mais fácil encher um copo limpo e vazio de água que esvaziar o copo cheio de refrigerante para depois lavá-lo e, por fim, enchê-lo de água – e assim é a tarefa de desfazer a des-

---

23. Quem tiver interesse em mergulhar em um estudo sobre despolitização no Brasil deve conferir meu livro anterior. Sabrina Fernandes, *Sintomas mórbidos: a encruzilhada da esquerda brasileira* (São Paulo: Autonomia Literária, 2019).

politização e politizar ao mesmo tempo. Desconstruir ideologias é árduo. Construir significados libertadores? Também.

Ser exposto a discussões políticas não necessariamente significa politizar-se. Não há politização sem conscientização. Alguém pode ler este livro inteiro e acompanhar todo o conteúdo político que produzo e, mesmo assim, nada do que ler ou ouvir pode lhe impactar.

TEORIA E AÇÃO

A politização é o encontro das consciências que antes estavam em contradição. É quando você olha ao redor e investiga para que as conclusões façam sentido com as diversas observações a ser feitas. Isso exige observar além da superfície e sempre lembrar que nossas experiências individuais formam a realidade, mas *não são toda a realidade*. Conectar o individual ao universal é tarefa de grande importância e é justamente um elemento da imaginação sociológica que devemos desenvolver com o intuito de entender a sociedade para transformá-la.

Pela imaginação sociológica, das conexões a ser feitas e do hábito de questionar a realidade e conclusões pré-moldadas e herdadas do passado, da mídia dominante ou de figuras de destaque, torna-se impossível negar que a política está sempre ao redor e em nossas próprias ações.

Imagino que algumas pessoas que negam a presença da política em todos os espaços de atuação humana talvez não neguem meus argumentos aqui. Afinal, você já deve ter ouvido que "tal assunto é sobre democracia, ou sobre saúde, mas não devemos colocar política no meio".

Essa afirmação é problemática e revela uma associação comum feita da política como algo meramente partidário e/ou eleitoral. A política passa a ser algo da disputa entre esquerda e direita no Congresso e nos partidos. Como essa disputa é real e contínua, é comum que pessoas se irritem com a pressão para escolher um lado ou outro. Por isso, argumentam sobre a necessidade de debater certos assuntos sem os "entraves" da disputa ideológica. Dizem que a escolha é sobre o que é melhor para o país, então serial ideal "deixar a política de fora de certas coisas".

Sinto muito, mas crer que é possível fazer essa separação também é um sintoma de despolitização.

Você provavelmente se lembra da Copa de 2014 no Brasil e dos protestos que ocorreram em junho do ano anterior. Pessoas carregavam cartazes que demandavam mais saúde, mais educação, mais segurança, mas o significado para cada indivíduo variava.

Ao andar pelas ruas da sua cidade e perguntar se as pessoas acham que educação é uma pauta importante, creio ser improvável encontrar alguém que diga que não. "Educação" apenas, sem nenhum qualificador, é uma pauta ampla o suficiente, genérica o suficiente e de tanta aceitação que é possível generalizar que todos consideram a educação uma pauta importante em algum momento da vida.

Educação de qualidade une comunistas, petistas e bolsonaristas no Brasil, republicanos e democratas nos Estados Unidos, trabalhistas e conservadores no Reino Unido, e tantos outros grupos políticos com suas diferenças ao redor do mundo. Em tempos de tanta fragmentação, quando tanta gente deseja unidade política, parece fazer sentido pedir que deixemos a política de fora para focar a construção conjunta pelo bem da sociedade. Parece fazer sentido, mas não faz.

É aqui que a pergunta se torna ferramenta-chave no processo de politização e tomada de posse da realidade. Considerar a educação algo importante ultrapassa as diferenças de concepção política na sociedade, sim, mas apenas até certo ponto. O consenso existe apenas no teor mais abstrato e no plano ideal em que "uma sociedade com mais educação é uma sociedade melhor". A partir do momento que se torna necessário explicar qual educação e como ela deve ser promovida na sociedade, o debate político se torna fundamental, pois o debate político envolve escolhas e rumos. Não há como debater educação sem debater projeto político.

Algumas perguntas podem ser feitas: de que tipo de educação falamos? Ao longo da vida? Educação formal? O sistema educacional deve ser inteiramente público ou deve existir um setor privado? Qual é a garantia de educação a ser dada pelo Estado ou pela comunidade e a partir de que idade? Educação deve ser sempre gratuita? Como determinar o currículo educacional nas escolas e nas universidades? Qual é o método seletivo ideal para determinar o acesso às universidades? Deve haver um método seletivo? Como a educação pública e gratuita deve ser financiada? Onde devemos estabelecer creches, escolas e universidades? Qual deve ser a proporção de instituições educacionais per capita? Qual é a função da pesquisa? Como professores devem ser contratados e remunerados? Qual é o papel das diferentes áreas de estudo, inclusive aquelas que não dão retorno imediato para o mercado capitalista? Que tipo de pedagogia deve ser incentivada?

Todas essas perguntas possuem respostas complexas que serão certamente influenciadas por objetivos relacionados a um projeto político. Por mais técnica que uma pesquisa voltada para uma dessas perguntas seja, o parecer deverá apontar certos rumos, e eles serão avaliados, decididos e implementados de acordo com a distribuição de poder numa sociedade. Política é como o poder se expressa e é abordado pela sociedade. Não se trata apenas do poder político institucional de quem governa um país, mas de poder econômico, poder em estruturas desiguais raciais, de gênero, de sexualidade e de capacidade e até mesmo de poder simbólico. Como educação nos permite abordar questões de poder, mas também nos inserir e modificar padrões de poder na sociedade, é evidente que os rumos da educação sejam rumos políticos. Educação também é sobre poder.

No sentido de educação privada *versus* educação pública, há pessoas que consideram a pública importante, mas tendem a preferir a privada por causa de uma diferença de qualidade entre os setores. Há também quem acredita que nada público presta, nem escola, nem hospital, nem linha de metrô, que tudo deveria ser privatizado logo. Mas será que é assim mesmo?

Pensemos sobre projeto político novamente. Será que o público é ruim por ser público ou porque existem interesses no Estado para favorecer e justificar a existência de um setor privado? Como quando escolas públicas recebem bem menos investimento do que deveriam, mas fundos da educação são transferidos para escolas particulares. Ou quando governantes acreditam que quem quiser saúde de qualidade que pague por um plano de saúde e o SUS sirva somente para quem não pode pagar.

É preciso observar e refletir sobre o desmonte do setor público, que, ao se tornar insuficiente ou inadequado, gera maior demanda para a existência do setor privado e serve de base para argumentos a favor da privatização. De fato, é possível desmontar algo, torná-lo barato e depois privatizar por uma pechincha. Em alguns casos, nem é necessário desmontar antes – o próprio governo oferece a bagatela logo de cara. No caso da mineradora Vale, estima-se que seu valor em reservas minerais fosse de 100 bilhões de reais, mas foi vendida por 3,3 bilhões de reais, em 1997, pelo governo federal.[24]

Um elemento preocupante dessa dinâmica é que, quando há possibilidade de lucrar, o mercado econômico pede a privatização de setores estratégicos da sociedade. Todavia, quando prejuízos acumulam, as empresas buscam o auxílio do Estado e de fundos públicos. Isso é verdade para o contexto dos bancos privados e das empresas automobilísticas nos Estados Unidos após a crise de 2008, assim como o caso cotidiano dos planos de saúde no Brasil.

---

24. Pedro Carrano, "Venda da Vale completa 20 anos e foi um dos maiores crimes | Opinião", *Brasil de Fato*, maio 6, 2017.

Como diz o economista Mark Blyth: "Se espera que os da base paguem desproporcionalmente um problema criado pelos do topo, quando os do topo fogem ativamente a qualquer responsabilidade pelo problema, atribuindo a culpa dos seus erros ao Estado".[25]

Por isso mesmo, simples discussões sobre quem é dono, quem administra, quem ganha e quem paga não podem ser tratadas como separadas da esfera política. Há quem diga, então, que o problema não é esse, que seria tudo bem tratar da política, desde que não enfiemos partidos no meio.

Esse debate é de suma importância no Brasil e afora, já que protestos e expressões de indignação na última década foram devidamente marcados por certa rejeição a partidos. Junho de 2013, por exemplo, foi cenário de várias manifestações de desgosto, desilusão e oposição aos partidos políticos no Brasil. É verdade que política não significa somente o partidário, mas também é importante compreender duas coisas: o partidário faz parte da política e rejeitar a discussão partidária por medo de uma "polarização" ou ter raiva de partidos acaba empobrecendo o debate e negando que até mesmo a postura antipartido é uma postura – politizada ou não – de impacto político.

Essa rejeição a partidos não surge do nada. No caso brasileiro, temos um sistema pluripartidário, com mais partidos que uma pessoa comum consegue citar de cor. Vários deles possuem nomes similares, mas nem sempre o nome realmente corresponde ao projeto político abraçado. Para piorar, há o caso dos famosos "partidos de aluguel". O partido de aluguel nada mais é que uma legenda partidária, uma organização voltada para formar candidatos e campanhas para a disputa dentro das instituições políticas – mais especificamente o Legislativo, cuja principal função é elaborar leis, e o Executivo, que governa de acordo com o território sobre o qual tem autoridade (sem criar leis, mas

---

25. Mark Blyth, *Austeridade: A história de uma ideia perigosa* (São Paulo: Autonomia Literária, 2017), 39.

com poder variado acerca de decretos). Tais partidos não contam com projeto político próprios, mas operam em um sistema de troca de favores e vantagens com partidos que apresentam maior firmeza ideológica.

Os partidos de aluguel, com interesses deturpados, ajudam a dar má fama aos partidos de forma geral, ainda que não possamos culpá-los inteiramente. Existe uma frustração na sociedade com partidos políticos por causa também de casos de corrupção, pelo modo cotidiano de troca de interesses dentro das instituições, além da figura tradicional do candidato político que aparece na época de campanha eleitoral e depois desaparece para retornar apenas no próximo período de campanha. Com isso, há um desgaste de confiança entre a população e os partidos.

Mas o partido é um ator importante na política. Trata-se de uma organização capaz de comunicar e organizar a sociedade ao redor de um projeto político, se ela assim o desejar. Então, em vez de descartar completamente o partido e a discussão partidária, creio que o esforço deve ser de resgatar o significado original de partido político e cobrar que eles representem melhor a vontade da população, em especial dos grupos sociais que se organizam no partido. É por isso que, principalmente na esquerda, existe a discussão sobre a figura do militante do partido. O militante vai para além do papel de filiado, constrói o programa partidário, pega tarefas para cumprir e ajuda a propagar as ideias do projeto político que defende. Não é necessário ser vinculado a um partido político para ser militante, mas seria proveitoso se todos os filiados de um partido fossem também militantes.

De fato, há várias formas diferentes de se organizar na sociedade. Socialistas e anarquistas se organizam diferentemente, mas também podem colaborar em diversas ocasiões. Existem os sindicatos, que seguem sendo ferramentas importantes apesar de conflitos e contradições da luta sindical hoje. Existem também os movimentos sociais, que se organizam ao redor de pautas específicas. O MST é um dos movimentos sociais mais relevantes do mundo e se organiza ao redor da propriedade da terra, mais especificamente sobre a necessidade da reforma agrária e pautas de produção como o plantio orgânico e a economia solidária. Também há os movimentos de moradia nas grandes cidades brasileiras.

Essa parte de se organizar é muito importante, porque em um mundo tão complexo é bastante difícil mudar as coisas sem apoio coletivo. Por isso mesmo, faz-se tão necessário compreender nossas posições políticas, investigar os vários aspectos de cada grande decisão social e como nós nos inserimos nisso – não como espectadores, mas como agentes políticos. Na era das redes sociais, já se tornou evidente que o que cada um fala tem impacto nas discussões, mas não devemos esquecer que também é assim para as discussões no espaço do trabalho e até mesmo na mesa de jantar.

É preciso valorizar o conhecimento técnico e apresentar dados na hora dos debates? Sim, mas não podemos partir da ilusão de que o que é técnico e científico seria neutro politicamente. Dados iguais podem ser utilizados para argumentos opostos quando consideramos a totalidade do projeto político. Por exemplo, se eu disser que um vírus possui alto potencial de contágio na sociedade, a conclusão até do cientista que se considera o mais neutro possível será influenciada por princípios políticos e morais. Afinal, normalizar o contágio de milhões como inevitável parte de uma postura de baixo investimento na saúde e priorização de interesses econômicos contrários ao isolamento social (e as garantias sociais necessárias para que ninguém passe fome enquanto isso). Já buscar estruturar o sistema de saúde e expandir direitos sociais são posturas que condizem com outra leitura do papel do Estado e da coletividade. São escolhas políticas, às vezes partidárias, às vezes não, mas definitivamente políticas. E implicam que todos escolham um lado.

Entender que a política está em todos os lugares ajuda a desmascarar a ilusão de que política é coisa de "político"; ou seja, coisa daquela figura do "político profissional" que é candidato e que, quando ganha, ocupa um cargo eleito. Essa pessoa certamente é agente política, mas você também é. A pessoa não precisa ser candidata, vereadora, governadora nem deputada para fazer política. Os representantes eleitos são apenas uma expressão de agência política na sociedade, entre tantas outras.

Enfim, a conscientização é um elemento tão importante da compreensão de que a política atravessa em cheio a sociedade e nossa vida. Tomar posse da realidade não é tarefa simples justamente porque envolve formação política, processo repleto de degraus de aprendizado e que toma bastante energia. É mais fácil simplesmente ser alimentado com conteúdo e opiniões dos outros, mas isso também lhe torna mais passível de manipulação. Pessoas manipuladas servem um propósito importante para quem quer deixar o mundo no trajeto em que se encontra, mas mudar o mundo exige pessoas críticas, conscientes e providas de autonomia em suas análises.

Pessoas formadas politicamente desenvolvem o próprio pensamento crítico, tornam-se menos dependentes de opiniões e análises de terceiros e, principalmente, se equipam como *agentes políticos* conscientes dos projetos em disputa e do que é necessário fazer para transformar a realidade. Agentes políticos organizados ao redor de um projeto político, em especial a classe trabalhadora, conseguem se movimentar de classe "em si" para classe "para si", ou seja, classe que afirma e luta em posse da realidade.

PAR

TE 2

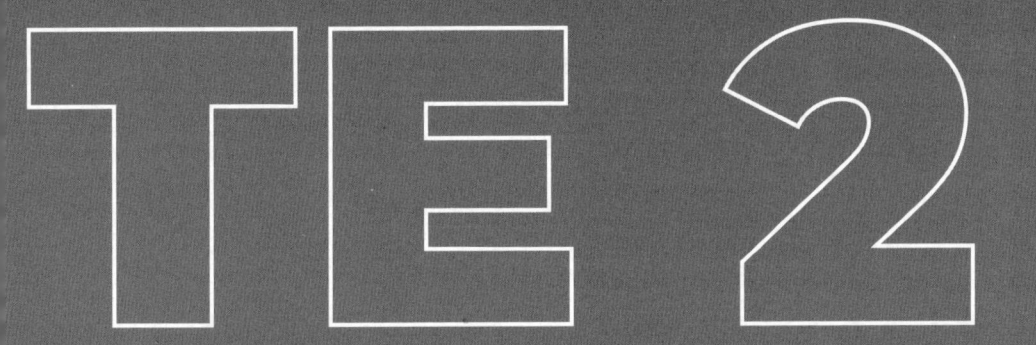

FERRAMENTAS PARA MUDAR O MUNDO

A função desta parte do livro é oferecer apoio pedagógico para o desenvolvimento de discussões ao redor de certos conceitos políticos. São textos centrais para a introdução política, ainda que não se trate de um dicionário formal. Pensei em compilar conceitos como um glossário, mas, se argumento que tudo está interligado, optei por conectar as explicações em uma narrativa sobre o mundo em que vivemos e o mundo em que gostaríamos de viver. Isso exige, obviamente, que trate primeiro da perspectiva que apresenta o critério de avaliação sobre problemas e soluções, que é o materialismo histórico e dialético, como se espera de um livro com premissa marxista.

Alguns trechos serão mais fáceis; outros exigem mais contextualização. Juntos, formam uma caixa de ferramentas de compreensão do mundo com orientações de como usá-las.

SEGUNDO CAPÍTULO

Para usar as ferramentas

"Viver sem conhecer o passado é andar no escuro."
Uma história de amor e fúria[26]

Na introdução, mencionei brevemente que a perspectiva que julgo mais adequada para explicar a realidade é o "materialismo histórico e dialético". Como toda a análise deste livro parte dessa perspectiva, e creio que é importante apresentá-la como parte da nossa caixa de ferramentas. De fato, enquanto conceitos como capitalismo, punitivismo e mudança climática são ferramentas diversas para entender e explicar o mundo, o materialismo histórico e dialético é o método que instrui como usar cada uma delas. É por esse método que identificamos que o capitalismo deve ser combatido, pois interpretamos os problemas nesse sistema que devem ser superados.

O interesse de mudar o mundo, fortalecido pela observação de como o mundo funciona, e a imaginação sobre como ele poderia ser nos mostram uma porta, a porta da mudança. O método serve para ajudar a navegar o que está após essa porta: todo um universo de descoberta política.

Antes de explicar como esse método funciona, é importante explicar o porquê de ver o mundo justamente via materialismo histórico e dialético, via marxismo. Existem ao menos seis razões para encontrar no marxismo uma perspectiva que contempla quem realmente quer mudar o mundo.

---

26. Luiz Bolognesi, "Uma história de amor e fúria", *Globo Filmes* (2013).

Uma delas é que a negação da realidade opressora a favor da construção de uma alternativa de maior liberdade é uma premissa básica do marxismo. Seu método é rígido e busca embasar argumentos e constatações, mas o interesse em fazer isso não é neutro. As análises duras são feitas justamente para entender melhor o mundo que se busca transformar.

Uma segunda razão seria o fato de que o marxismo não trabalha somente com teoria, mas com a prática. Aliás, trabalha com práxis. Dessa forma, não se trata de fazer constatações vazias sobre a realidade, mas de conectar o que vê com a pergunta "o que fazer?". Desta forma, conhecimentos menos teóricos e mais práticos são devidamente validados e incorporados no debate também.

Uma terceira razão é que, apesar de ser estudado no meio acadêmico, o marxismo definitivamente não é só para acadêmicos. Justamente por causa da práxis, o marxismo precisa ser vivo e existir nos espaços de trabalho, nos debates dos movimentos sociais, nas leituras autônomas, nas manifestações e em todo aspecto da vida que vai muito além da função específica de pesquisador.

A quarta razão é que o marxismo possui um método que considera a totalidade da realidade. O micro é compreendido, mas nunca de forma isolada. As redes e as conexões que se organizam entre si para formar uma sociedade mais complexa precisam estar sempre em debate para entendermos e mudarmos o que se reproduz numa lógica sistêmica.

A quinta razão tem a ver com a materialidade. Dizem por aí que marxista é muito "idealista", mas essa constatação é bastante confusa. O que querem dizer com isso é que marxista é radical demais – e é mesmo, pois compreende que não se conserta uma doença sistêmica com um simples curativo. Para isso, é importante ter ideais, ainda que eles não sejam suficientes. O foco em práxis garante que a parte da construção material das condições necessárias para mudar a realidade esteja sempre presente.

A sexta razão é que nada do que enfrentamos existe sem sua história. Não viemos de um vazio, e nosso conhecimento precisa se fundar também na compreensão de que todas essas circunstâncias exigem entendimento de como surgiram e como são sustentadas (ou não) até hoje. Aproveitando nossa analogia sobre a casa, imagine uma parede cuja tintura está levemente descascada. Para descobrir como essa parede se mantém em pé, se é sólida ou frágil, a tarefa envolve descascar mais da pintura, dessa primeira camada. O método marxista nos orienta a como fazer isso.

Apesar de ser um método, não existe fórmula exata para se utilizar do materialismo histórico e dialético. No decorrer da história, já aconteceu de pensadores marxistas tentarem promover algo parecido com "manuais de aplicação" do método. José Paulo Netto, uma das maiores referências vivas sobre marxismo hoje, é bastante crítico dessa tentativa. O problema, diz Netto, é que a ideia de aplicar o materialismo histórico e dialético como se fosse uma receita, um manual, nega justamente o fato que a concepção marxista da história é um método de estudo. Não é possível pular a parte da observação, da investigação e da reflexão para aplicar o método, como se fosse apertar um botão e esperar que uma análise (ou uma solução!) apareça pronta do outro lado.[27]

Apresentarei definições e explicações sobre o método aqui. Para leitores com menos familiaridade sobre o tema, talvez alguns pontos pareçam estranhos, mesmo acompanhados de uma lógica didática. Deve-se, porém, compreender que não é possível aprender o materialismo histórico e dialético apenas com uma explicação, e sim, principalmente, com exemplos de análises da mesma perspectiva e arriscando as próprias análises. Portanto, não espere uma fórmula secreta nesse livro. A melhor maneira de aprender o método marxista é se expondo ao método marxista e com o ato de estudá-lo para aprender a enxergar a realidade e analisar a realidade através dele.

Em minha trajetória, aprendi a resumir o método como materialismo histórico, tanto pela conveniência da fala mais curta

---

27. José Paulo Netto, *Introdução ao estudo do método de Marx* (São Paulo: Editora Expressão Popular, 2011), 12–13.

quanto porque o materialismo histórico surge da dialética; ou seja, não há materialismo histórico sem dialética. Como Marx não tratava de um termo fixo, mas da "concepção materialista da história", e Engels só passou a se referir simplesmente como "materialismo histórico" depois, eu mesma não creio ter um jeito mais certo ou errado de falar. A partir de agora, usarei simplesmente materialismo histórico quando falo do método, mas entendam que a dialética está implícita. E isso é gancho para começar a parte da dialética: afinal, o que é isso?

DIALÉTICA

Teses de doutorado e livros inteiros se debruçam sobre essa pergunta, e meu desafio é tentar explicar a dialética no materialismo histórico de forma simples; portanto, deixarei discussões mais aguçadas para outro momento. (Aproveito para confessar que, apesar de ter começado a estudar o materialismo histórico e dialético aos dezenove anos de idade, só me senti confiante em saber e fazer uma análise dialética tempos depois. Ao conversar com colegas, vejo que é assim mesmo. Dialética é questão de práxis.)

A famosa tríade "tese-antítese-síntese" utilizada para explicar a dialética, embora faça sentido, pode esbarrar mais no erro do simplismo que no mérito da simplificação e da didática se tratada como fórmula e sem o fundamento para esse movimento.[28] Como afirma Leandro Konder:

---

28. Uma observação sobre profundidade: quando há oportunidade de aprofundar a explicação sobre dialética, raramente se usa a composição tese-antítese-síntese, pois o debate exige conceitos adicionais sobre real, absoluto, espírito e outros dentro da filosofia e teoria política. Nos limites dessa introdução, o mais importante a frisar é que não seja tomada como fórmula nem como fatores exteriores e completos em si mesmos. A discussão hegeliana de abstrato-negativo-concreto é mais apropriada, mas, como utiliza proposições mais complexas, escapa dos limites deste projeto. Vale, ainda assim, pontuar que a "tese" dá consequência à antítese justamente porque carrega um vazio ou contradição em si mesma (é abstrata) e, portanto, precisa passar pelo negativo para chegar ao concreto.

Os princípios da dialética se prestam mal a qualquer codificação. Um código, por definição, articula as leis, fixa as leis em artigos (artigo primeiro, artigo segundo etc.). Como poderiam, porém, ser fixadas em artigos as leis de uma filosofia da mudança, de uma concepção do mundo segundo a qual existe sempre alguma coisa de novo sob o sol?[29]

Portanto, peço um pouco de paciência neste capítulo. A leitura atenta ajudará com explicações, mas é na observação contínua de exemplos e demais conceitos que o método se evidencia. A dialética é um movimento – e não pode ser pinçada e examinada sob um microscópio. O próprio ato de estudar e explicar a dialética impulsiona uma série de interações sobre conhecimento e realidade.

Karl Marx, pensador que, junto de Friedrich Engels, inspira toda a escola de pensamento e ação que me convenceu da importância de mudar o mundo, não se sentou um dia em casa e simplesmente inventou o materialismo histórico. Esse método é resultado de um trajeto de estudos e interpretações com bastante influência do filósofo alemão Hegel, mas não somente.

Hegel tampouco inventou a dialética. É um conceito que data desde a filosofia da Grécia Antiga, mas que ganha bastante destaque em sua formulação hegeliana, já na modernidade, especialmente no que interessa ao desenvolvimento da dialética no marxismo.

De forma bem resumida, na dialética hegeliana, o pensamento cria a realidade. A dialética é um movimento, uma relação e um discurso. No sentido hegeliano, o movimento de criação daquilo que é real parte do pensamento, do ideal, do conceito. Essa é uma relação dialética idealista. Não quer dizer que a realidade não existe sem a ideia, mas que o conhecimento da realidade parte da ideia. A realidade seria, então, um fenômeno criado a partir do ideal.

---
29. Leandro Konder, *O que é dialética*, 28ª edição (São Paulo: Brasiliense, 1998), 58.

Esse movimento não é linear e simples. Existe conflito no processo. Para Hegel, isso significa que um ponto inicial estaria incompleto sem algo que lhe confrontasse, e o resultado desse confronto levaria a uma solução, ou síntese concreta. Mas o algo que confronta não é um objeto externo. O conflito surge das condições do ponto inicial em um ciclo contínuo.

A árvore é negação de sua semente, mas também carrega a semente para que se torne árvore. A lama não é água limpa e potável. Se você lava o quintal e a lama vem, a lama nega a condição anterior, mas a lama também contém a água em si. A negação carrega o embrião daquilo que nega.

Como Herbert Marcuse explica, o processo da dialética ocorre em meio às relações contraditórias na existência de seres humanos e coisas, então o movimento de cada conteúdo carrega junto seu oposto.[30] É por meio da atividade material que o oposto se realiza, não automaticamente, mas na relação também contraditória, entre agência e estrutura.

Enquanto isso pode parecer um tanto complicado, vale a pena se lembrar da discussão sobre contradições que já apresentei. Pensemos na situação da desigualdade econômica, em que bilhões de trabalhadores são explorados e ganham pouco, enquanto uma relativa minoria se torna bilionária. Essa é *a tese/o problema inicial* de onde partimos: um nível gigantesco de desigualdade.

Tanta desigualdade não é sustentável para os trabalhadores nem para o sistema capitalista, pois até mesmo o sistema necessita de consumidores para garantir a circulação de mercadorias e acumulação de lucros. A fim de resolver esse problema, é necessário confrontá-lo. Nesse caso, a luta anticapitalista é o confronto em si, um *confronto negativo* com a realidade atual, que às vezes é chamado de "antítese". O entendimento dessa antítese não pode ser mecânico – caso contrário, arriscamos um simplismo danoso. Ela deve ser entendida como consequência da tese e confronto da tese. A luta anticapitalista só existe como negação

---

30. Herbert Marcuse, *Razão e revolução* (Rio de Janeiro: Paz e Terra, 1978), 73.

do capitalismo, porque se mobiliza diante da existência do capitalismo. O resultado construtivo, concreto, desse confronto é a *síntese* – no caso, uma sociedade pós-capitalista.

O trajeto dialético hegeliano é movido pelo ideal, mas a dialética marxista é movida pela materialidade. Isso significa que, para Marx, não dependemos do ideal para conhecer a realidade, mas, na verdade, o ideal, o pensamento, a teoria, é resultado da realidade material transposta para nossa cabeça pensante.[31] Isso significa que nossas ideias não surgem de forma abstrata e que, então, prosseguimos a afirmar a realidade a partir dessas ideias. Para Marx e Engels, o movimento dialético vem da materialidade, então nossas ideias são formadas a partir das condições materiais existentes. Eu sei o que é um carro não porque tenho a ideia de um carro e a associo à "coisa" carro, mas porque a "coisa" carro carrega características e funções que podem ser analisadas historicamente para compor o conceito de carro.

No caso de querer compreender melhor a realidade, com o intuito de transformá-la, a dialética materialista indica que essa realidade existe de forma objetiva, independent de nossa consciência ou nossa existência.[32] O trabalhador é explorado pelo patrão independentemente da consciência desse trabalhador no reconhecimento da exploração. Essa exploração é material; todavia, tomar consciência de tal é fundamental para a formação da antítese da exploração. A resolução desse conflito, o que vier depois da antítese, precisa se sustentar. Assim, precisa criar algo novo, também concreto, que faça sentido na realidade dos seres humanos; ou seja, que parta também dessa realidade. Se a antítese é uma negação do ponto de partida, a partir do ponto de partida, a síntese é a segunda negação, ou negação da negação.

O que torna a compreensão dialética da realidade ainda mais desafiadora é o fato de que não existe um movimento dialético

---

31. Karl Marx, *O capital [recurso eletrônico]: Crítica da economia política: Livro I: O processo de produção do capital* (São Paulo: Boitempo Editorial, 2013).

32. Netto, *Introdução ao estudo do método de Marx*, 22.

de cada vez, mas uma sucessão de fatos históricos e conflitos que ocorrem ao mesmo tempo e exigem que análises e ações de mudança levem em conta níveis múltiplos de interdependência e contradição. Na dialética marxista, todo fenômeno pode, em algum momento, sob circunstâncias propícias, se transformar ou dar espaço a seu oposto. A contradição é um princípio constante no processo histórico.[33]

Isso significa ao menos três coisas. Uma delas é que as mudanças não ocorrem de forma alinhada nem na mesma proporção. Não existe um ritmo fixo de mudanças, e é por isso que tempos "normais" são diferentes de tempos "revolucionários" – o que afeta como devemos encarar avaliações e decisões feitas em cada época.

Outra coisa é o fato de que está tudo conectado e entrelaçado, o que impede de simplesmente abordarmos um acontecimento social como um experimento controlado em laboratório. Não é possível isolar um fator e voltar aos outros depois, quando conveniente, como se ainda fossem os mesmos, pois não serão. Esse é o desafio concreto, por exemplo, da luta contra o fascismo, pois ela pode exigir táticas específicas, com desdobramentos diversos sobre outros aspectos da construção política. Esses desdobramentos podem ser até mesmo contraditórios caso não nos atentemos a eles. Na história, não é possível ter duas panelas de caramelo no fogo e se concentrar em mexer apenas uma, como se a outra não fosse empedrar e queimar no processo.

Por último, fica o entendimento de que a negação é sempre uma possibilidade. Uma afirmação gera seu oposto, sua negação, mas apenas a superação dessa negação, em uma nova síntese, consegue se sustentar. É por isso que a negação da negação aparece para Engels como uma forma de princípio da dialética.[34]

---

33. V. I. Lenin, *V. I. Lenin Collected Works - Volume 22 - December 1915 - July 1916* (Londres: Lawrence & Wishart London, 1974), 309.

34. Konder, *O que é dialética*, 56; Friedrich Engels, *A dialética da natureza*, 6ª edição (Rio de Janeiro: Paz e Terra, 1979), 34.

Aqui, o fator histórico se revela fundamental na compreensão marxista.

MATERIALISMO HISTÓRICO

A concepção materialista da história de Marx e Engels é dialética, especialmente porque essa concepção é formada a partir do entendimento de dialética por tais autores. Mas é importante destacar que se trata de materialismo histórico, não apenas materialismo. A tese onze de Marx, que apresentei antes, é parte de contrapontos ao materialismo sem concepção histórica de um pensador chamado Feuerbach.

Em especial nas teses um e nove, Marx critica Feuerbach por desenvolver um materialismo limitado, que apenas considera a materialidade geradora das teorias humanas num exercício contemplativo. Isso quer dizer que Feuerbach se limita a uma relação direta entre o material e a consciência, ausente de conflito e transformação. "É na práxis que o ser humano tem de comprovar a verdade", salienta Marx, que conclui, na tese onze, que não basta interpretar (ou contemplar), que é preciso também transformar.[35]

O papel da práxis remete por completo à concepção histórica de Marx. Isso quer dizer que é impossível compreender onde estamos e como estamos sem o entendimento do que ocorreu antes para que estivéssemos aqui e, mais, sem o entendimento de que o processo anterior foi fruto de atividade prática humana e inúmeras relações entre pensamento e ação. O materialismo histórico nos permite compreender que as coisas não surgem do nada e nossas escolhas não são somente nossas, nem livres, mas existem (ou inexistem!) dentro de um contexto.

---

35. Marx, "Theses on Feuerbach", in *Selected Writings*.

Há alguns trechos da obra de Marx e Engels que auxiliam essa compreensão, e o meu favorito está na discussão de Marx em *O 18 de brumário de Luís Bonaparte*:

> Os homens fazem a sua própria história; contudo, não a fazem de livre e espontânea vontade, pois não são eles quem escolhem as circunstâncias sob as quais ela é feita, mas estas lhes foram transmitidas assim como se encontram. A tradição de todas as gerações passadas é como um pesadelo que comprime o cérebro dos vivos.[36]

Não é possível olhar para a realidade que vivemos sem considerar como ela herda condições anteriores. Se escrevo em um computador portátil hoje, é porque consegui adquiri-lo, mas uma das razões para isso é justamente o fato de ele ter sido inventado. Se Marx não podia escrever em um computador portátil, foi, antes, porque não existiam computadores à época.

É assim também quando olhamos para os parâmetros políticos na sociedade. A discussão sobre democracia só é possível porque herdamos um legado de debates e experiências sobre a democracia, o que ela é, o que não é e o que deveria ser, de acordo com perspectivas diversas. Isso significa que, quando discutimos a ideia de democracia no contexto específico do Brasil, precisamos notar que o país não teve a mesma história que os Estados Unidos, ou a França, ou o Japão.

Não é possível importar experiências políticas, pois a história se constrói de forma material. As condições para o debate sobre democracia em solo brasileiro são moldadas por consequências da colonização, da escravidão, da imigração, da violência, de ditadura e também de bastante luta social. É por isso mesmo que pensadores como o sociólogo Florestan Fernandes consideram fundamental a criação de teorias voltadas para o Brasil e a consideração desse contexto.

---

36. Karl Marx, *O 18 de brumário de Luís Bonaparte* (São Paulo: Boitempo Editorial, 2012).

Isso quer dizer que temos agência, não somos subordinados a uma engrenagem que determina por completo nossa vida por fora, mas essa agência não é absoluta. Temos escolhas, mas alguns têm mais que outros – e o leque de escolhas varia também. Essa diferença é fruto da interação entre as estruturas sociais e nossa agência dentro de um contexto que herdamos no passado. Não é possível viver no Brasil hoje como se estivéssemos no governo Lula, assim como não é possível tomar decisões no Reino Unido atual como se o referendo do Brexit nunca tivesse acontecido. Aconteceu e moldou a conjuntura política que se sucedeu.

É por isso que discutimos muito a questão da estrutura, que já mencionei, e como nossa vida se organiza de acordo com essas estruturas. Sob o risco de parecer redundante: as estruturas são estruturantes. Isso quer dizer que ser mulher sob uma estrutura patriarcal impacta as escolhas possíveis para a mulher, as funções dela esperadas, os estereótipos a que ela é sujeita e os riscos que ela corre. Minha amiga Gabrielle Nascimento costuma dizer que, num país como o Brasil, a estrutura racial organiza a regra de quem explora e quem é explorado no sistema capitalista.

O materialismo histórico se atenta para como as estruturas organizam a vida material e geram ou impedem condições para as escolhas do presente e do futuro. Quando Karl Marx escreveu o Livro I de *O capital*, ele o fez a partir desse método. Em vez de tratar o capitalismo como sistema natural e definitivo, ele optou por uma análise histórica das formas de produção humana até o capitalismo. A partir da análise do sistema capitalista, encontrou contradições. Um sistema que preza por acumulação infinita e depende de recursos da natureza, que são finitos, possui uma contradição. É um sistema insustentável. Um sistema que concentra riquezas na mão de uma minoria por meio da exploração de uma maioria gera uma tensão de classe que é, a fundo, inegociável: um antagonismo de classes. Por isso, o capitalismo se apresenta como um sistema de crises.

Essa leitura permite pautar o socialismo e o comunismo como sistemas de superação do capitalismo, não como meras substituições. São sistemas que devem tornar o capitalismo obsoleto ao garantir uma produção que contemple a sociedade humana (regulada com os limites da natureza) sem a contradição da exploração e da destruição. É por isso que a luta pelo socialismo não pode ser uma ideia jogada ao vento; ela exige método pautado pelas condições materiais a ser construídas.

Essa distinção vinda do materialismo histórico diferencia o socialismo marxista do *socialismo utópico* proposto por outros pensadores e do qual Marx e Engels discordavam. O problema não é a utopia, e falarei dela adiante, mas a utopia sem método.

Creio ser importante pontuar, caso você queira se aprofundar sobre isso após a leitura deste livro, que existem grupos marxistas que tentam reduzir a análise do materialismo histórico à análise do modo de produção econômico, por exemplo, da exploração dos trabalhadores na fábrica, da geração da mercadoria e o ciclo que gera lucro e alimenta a classe dominante, a *burguesia*. Essa análise certamente é central para o materialismo histórico, mas o próprio Engels alertou contra qualquer tentativa de reduzir o método a isso, como se esse aspecto existisse à parte de outros aspectos materiais da vida (seria antidialético, não?).

Em uma carta de 1890, ele diz:

> De acordo com a concepção materialista da história, *o elemento determinante final na história é a produção e reprodução da vida real*. Mais que isso, nem eu nem Marx jamais afirmamos. Assim, se alguém distorce isso afirmando que o fator econômico é o único determinante, ele transforma essa proposição em algo abstrato, sem sentido, uma frase vazia.[37]

---

37. Friedrich Engels, "Engels to J. Bloch - In Königsberg", in *K. Marx, F. Engels, V. Lenin on Historical Materialism: A Collection*, 294–96. Progress Publishers, 1972 (grifo meu).

Isso indica que o materialismo histórico é um método que trata de como a vida é produzida e reproduzida em diversos fatores, e é por isso que devemos tratar não apenas do aspecto diretamente econômico, mas também das superestruturas de tradições, religiões, sistemas políticos e jurídicos, além das estruturas que interagem no âmbito econômico com o capitalismo ao organizar a exploração de acordo com categorias e funções específicas. Essas estruturas são, por exemplo, o patriarcado, que se expressa no machismo, e a supremacia racial branca, que se expressa no racismo – entre outras que abordarei em breve.

Na mesma carta, ele enfatiza a relação entre agência e estrutura que ressaltei:

> Em segundo lugar, a história é feita de maneira que o resultado final sempre surge da conflitante relação entre muitas vontades individuais, cada qual destas vontades feita em condições particulares de vida. Portanto, é a intersecção de numerosas forças, uma série infinita de paralelogramos de forças, que resulta em dado evento histórico.[38]

Os eventos não são fruto de meras relações diretas entre causa e efeito, mas sujeitos a essa infinidade de forças que encontram sustento por meio das estruturas. Em um mundo capitalista é mais fácil construir coisas capitalistas e esboçar ideias capitalistas porque a estrutura ao redor é capitalista. Por isso mesmo, transformar radicalmente o mundo é uma tarefa tão pesada, já que enfrenta desafios imediatos e as estruturas em si.

Várias instituições, agentes, ideologias, culturas e projetos políticos operam junto, dentro e através das estruturas. Como o materialismo histórico e dialético se aprende mais facilmente com exemplos e prática, espero que esta breve introdução sobre o materialismo histórico seja útil para situar as interpretações futuras.

---

38. Engels.

TERCEIRO CAPÍTULO

O mundo como ele é

> "A luta do inferiorizado situa-se a um nível nitidamente mais humano. As perspectivas são radicalmente novas. Trata-se da doravante clássica oposição entre as lutas de conquista e as de libertação."
> *Frantz Fanon*[39]

Agora que você já conheceu um pouco mais sobre o método para interpretar a realidade, talvez tenha curiosidade para saber como algumas ideias e certos conceitos são compreendidos segundo essa visão. Quando pensamos em "exploração", por exemplo, é preciso explicar o que queremos dizer com isso. Afinal, para alguns, a exploração só ocorre em casos em que há extrema ausência de dignidade, salários baixíssimos ou análogos à escravidão. Já para quem trabalha via marxismo, a exploração é algo mais amplo, e é por isso que a ação capaz de eliminar a exploração necessita ser muito mais ampla também. Por agora, focarei esses conceitos que ajudam a localizar o debate político no sistema em que vivemos: o capitalismo.

O SISTEMA

O capitalismo é um sistema econômico, mas, como vimos que as relações de produção organizam nossa vida, o capitalismo

---

[39]. Frantz Fanon, "Racismo e cultura", in *Revolução africana: Uma antologia do pensamento marxista*, ed. Jones Manoel e Gabriel Landi Fazzio (São Paulo: Autonomia Literária, 2019), 76.

é um sistema que também reverbera em como decidimos diversos aspectos cotidianos e como pensamos. Assim, é uma estrutura que se desenvolve por uma série de outros elementos de grande importância.

Segundo Marx, o *trabalho* é a relação entre ser humano e natureza, na qual o ser humano regula sua própria ação com o metabolismo da natureza.[40] Isso quer dizer que o trabalho humano transforma a natureza, mas não pode existir completamente fora dos sistemas naturais, sendo subordinado a limites de materiais e ciclos biológicos.

É importante salientar que o trabalho não é qualquer atividade humana, mas uma atividade orientada para a criação de *valor de uso*. Levantar-se da cama de manhã pode "dar trabalho" a depender do sono, mas não é trabalho, pois não gera valor de uso a partir da relação com a natureza. O valor de uso se relaciona com as propriedades de um objeto ou um serviço em satisfazer certas necessidades. Na produção de um lápis, o valor de uso do lápis está sem sua utilização para escrita e desenho.

A produção de bens envolve tudo aquilo que é necessário para a produção: as forças produtivas. Os meios de produção consistem no que é necessário para poder trabalhar, como uma ferramenta, um espaço de trabalho e a própria terra. Os objetos de trabalho são as matérias que utilizamos e transformamos, como madeira e grafite, que serão trabalhadas em lápis. Finalmente, há a força de trabalho, a ser empregada diretamente por quem detém os meios e os objetos ou vendida pelo trabalhador para o dono dos meios e objetos.[41]

No capitalismo, o dono dos meios de produção contrata o trabalhador para produzir mercadorias. As mercadorias são coisas ou serviços que possuem valor de uso, mas também *valor*

---

40. Karl Marx, *Capital: Volume I*, trans. Ben Fowkes (Nova York: Knopf Doubleday Publishing Group, 1977).

41. José Paulo Netto e Marcelo Braz, *Economia política: uma introdução crítica* (São Paulo: Cortez Editora, 2012), 70.

de troca. Nesse sistema, não há interesse do dono da fábrica em produzir coisas com apenas valor de uso, porque é pelo valor de troca que se perpetuará a circulação das mercadorias. Por isso mesmo, diz-se que, para o capitalista, a utilidade da mercadoria está justamente em sua possibilidade de ser trocada/vendida.

O objetivo do capitalismo não é criar valor de uso, mas a acumulação infinita, de forma que o processo de produção é em si nada mais que "um mal necessário para chegar ao objetivo maior da valorização do valor".[42]

É por um grupo ser dono dos meios de produção que esse grupo consegue exercer poder suficiente na sociedade e concentrar o trabalho de muitos ao redor de seus meios de produção. Isso quer dizer que a *propriedade privada* é um requisito para comprar a força de trabalho dos trabalhadores. Isso exige um nível mínimo de *divisão social do trabalho*, em que trabalhadores produzem coisas diferentes, em momentos distintos, para que elas possam ser trocadas.[43]

Isso significa também que o capitalismo precisa de trabalhadores e implica que eles não detenham os próprios meios de produção. Quando falamos por aí de propriedade privada, é a isto que nos referimos: fábricas, estabelecimentos comerciais de trabalho, terra, patentes, algoritmos etc. A propriedade privada é um tipo de propriedade através da qual se geram mercadorias. Não se trata, portanto, de falar de um celular de uso pessoal ou de uma bicicleta cuja função é ir e voltar da escola. O celular e a bicicleta podem ser mercadorias produzidas pela exploração da força de trabalho de uma classe por parte de quem é dono dos meios de produção, estes, sim, propriedade privada. O celular e a bicicleta são apenas *propriedade pessoal*, nesse caso.

Sob o capitalismo, o dono dos meios de produção compra a força de trabalho de trabalhadores para a produção de merca-

---

42. Leda Paulani, "A crise, o devir do capital e o futuro do capitalismo", in 6º *Fórum de Economia Promovido Pela FGV-SP* (São Paulo, 2009).

43. Netto e Braz, *Economia política: Uma introdução crítica*, 93.

dorias. Ele faz isso com o dinheiro que, aqui, não é só dinheiro. Não é simplesmente como dois reais que você esqueceu no bolso e que amanhã pretende usar para pagar um café no caminho para o emprego. O dinheiro que é empregado pelo capitalista para a produção de mercadorias, uma produção que pretendem que seja infinita para acumular mais e mais, é mais que dinheiro. Quando dinheiro é usado para fazer mais dinheiro, nós o entendemos como *capital*.[44]

De um lado, o capitalista utiliza seu capital para comprar meios de produção e a força de trabalho de trabalhadores; do outro, trabalhadores vendem sua força de trabalho para receber em troca o salário que lhe é oferecido e será utilizado para sua subsistência e, caso receba mais que o custo básico de vida, garantir alguma qualidade de vida para além da sobrevivência.

Toda pessoa que precisa vender sua força de trabalho como meio de sustento para um terceiro que enriquece a partir disso é explorada, pois o terceiro se apropria do valor criado pelo trabalhador para si mesmo.

A *exploração* não é sempre a mesma – e é impactada qualitativamente pelas condições do trabalho. Karl Marx explica que, no contexto fabril, "ao vender sua força de trabalho – e o operário é obrigado a fazê-lo, no regime atual –, ele cede ao capitalista o direito de empregar esta força".[45] Essa relação é de obrigação, porque uma parte possui mais necessidade vital que a outra – e é por isso que, muitas vezes, o trabalhador tolera salário baixo, condições indignas de atuação e/ou ameaças para evitar o desemprego e a miséria extrema.

Isso quer dizer que, apesar de a relação ser livre no sentido de que o empregador não é dono da pessoa e não pode vendê-la como mercadoria (nem forçá-la a trabalhar sem remuneração), sua força de trabalho é mercadoria e sua liberdade é limitada

---

44. David Harvey, *A loucura da razão econômica: Marx e o capital no século XXI* (São Paulo: Boitempo Editorial, 2018), 21.

45. Karl Marx, "Salário, preço e lucro" (The Marxists Internet Archive, 1865).

pela natureza opressora da estrutura capitalista: a trabalhadora se submete a trabalho determinado fora da própria autonomia, os frutos desse trabalho não lhe pertencem, e seu empregador acumula a partir do excedente do trabalho de todos seus trabalhadores. O trabalho sob o capitalismo se torna *alienado*. A relação não é baseada na relação entre as pessoas, mas pelo movimento das mercadorias que são produzidas e trocadas. A isso, Marx se referia como "fetichismo da mercadoria".

Uma sociedade voltada para as mercadorias é evidenciada na forma como o total que se recebe pelas mercadorias é mais que o total pago para quem as produz. O patrão, neste caso, pode acumular mais capital justamente porque paga aos trabalhadores menos do que recebe em troca das mercadorias produzidas, mesmo após compensar os custos iniciais. A *mais-valia* consiste na diferença entre o valor apropriado pelo capitalista e o valor que retorna aos trabalhadores por meio da remuneração.

O fato de que o salário mínimo de nossa sociedade é realmente insuficiente para garantir qualidade de vida para quem trabalha significa que sua função é apenas seguir reproduzindo a maioria da classe trabalhadora. Assim, a maioria continuará a existir e continuará a depender de vender sua força de trabalho pelo salário mínimo (ou até menos em casos informais e mais precarizados) para existir. É um ciclo vicioso em que a pobreza circula de um lado para garantir a acumulação de riqueza do outro.

Sobre isso, Engels diz:

> Desde que a civilização se baseia na exploração de uma classe por outra, todo o seu desenvolvimento se opera numa constante contradição. Cada progresso na produção é ao mesmo tempo um retrocesso na condição da classe oprimida, isto é, da imensa maioria. Cada benefício para uns é necessariamente um prejuízo para outros;

cada grau de emancipação conseguido por uma classe é um novo elemento de opressão para a outra.⁴⁶

Os trabalhadores sob condição de exploração formam uma classe, enquanto os capitalistas que acumulam e exploram formam outra. Você já deve ter ouvido ou lido termos sinônimos por aí, em que a *classe trabalhadora* corresponde ao *proletariado*, enquanto o capitalista acumulador é conhecido como *burguês*, como parte da *burguesia*. A sociedade, quanto mais complexa se torna por causa da divisão social do trabalho, que hoje é internacional, e o desenvolvimento de formas mais elaboradas de enriquecimento, como por meio do mercado financeiro e seus artefatos, produz em si frações entre essas classes.

No Brasil, ao olhar para a classe trabalhadora, Florestan Fernandes fala da diferença de posição e experiência entre os trabalhadores integrados e os não integrados.⁴⁷ Já Lélia Gonzalez fala de massa marginal e não marginal e dos tipos diferentes de trabalhadores existentes.⁴⁸ Com isso, as classificações mais precisas se alteram de acordo com contextos. Há a figura do servidor público, que vende sua força de trabalho não para o burguês, mas para o Estado, que por sua vez é gerente da sociedade capitalista e favorece a existência do burguês. Há também a figura do comerciante pequeno-burguês, que explora a força de trabalho de seus empregados, geralmente poucos, e investe sua própria força de trabalho.

O importante de ressaltar aqui é a tendência do sistema como retratada por Engels: uma classe majoritária é explorada, em níveis diferentes, por uma classe minoritária, que enriquece em níveis diferentes. A essa contradição entre explorados e exploradores, entre oprimidos e opressores, chamamos "antagonismo de classe".

---

46. Friedrich Engels, *A origem da família, da propriedade privada e do Estado* (Rio de Janeiro: Civilização Brasileira, 1984), 200.

47. Florestan Fernandes, *Sociedade de classes e subdesenvolvimento* (São Paulo: Global Editora, 2008).

48. Lélia Gonzalez, *Lélia Gonzalez: Primavera para as rosas negras*, ed. União dos Coletivos Pan-Africanistas (São Paulo: UCPA Editora, 2018).

Novas mercadorias são produzidas e comercializadas o tempo todo. Muitas são consumidas justamente pela classe trabalhadora, que vende sua força de trabalho e consome indiretamente o que produz como classe. Os ganhos em tecnologia, somados à produção de desejos de consumo como se fossem equivalentes à qualidade de vida ou até mesmo à felicidade, revelam mais uma contradição: "Via de regra, os trabalhadores vêm recebendo uma parcela cada vez menor da renda nacional total, mas agora possuem telefones celulares e *tablets*. Enquanto isso, o 1% mais rico abocanha uma porção cada vez maior do valor total gerado".[49]

O capitalismo é um sistema que gera contradições que geram crises, que são gerenciadas por várias ferramentas que determinam quem pagará a conta a fim de que as contradições sejam mantidas por um fio novamente. As crises são "meras interferências" para o capitalista,[50] e sua ausência representa um momento de estabilidade e recuperação.

É como o caso do bilionário Jeff Bezos, que já afirmou investir na Blue Origin, sua empresa privada de astronáutica, justamente por ter tanto dinheiro que não sabia mais o que fazer com ele.[51] Bezos é dono da Amazon e tem outros investimentos. É a mesma Amazon que facilita a circulação de mercadorias e alimenta tendências consumistas, enquanto é conhecida por condições de trabalho que variam de indesejáveis a desumanas e por práticas antissindicais.[52]

Daí podemos identificar mais contradições: enquanto alguém como Bezos existe nos Estados Unidos, há famílias que

---

49. Harvey, *A loucura da razão econômica: Marx e o capital no século XXI*, 26.

50. Rosa Luxemburgo, *Rosa Luxemburgo: Textos escolhidos - Volume 1 (1899-1914)*, ed. Isabel Loureiro (São Paulo: Editora Unesp, 2011), 45.

51. Mathias Döpfner, "Jeff Bezos Interview with Axel Springer CEO on Amazon, Trump, Blue Origin, Family, Regulation - Business Insider", *Business Insider*, 2018, https://www.businessinsider.com/jeff-bezos-interview-axel-springer-ceo-amazon-trump-blue-origin-family-regulation-washington-post-2018-4.

52. Katie Schoolov, "How Amazon Is Fighting Back against Workers' Efforts to Unionize", *CNBC*, 2019, https://www.cnbc.com/2019/08/22/how-amazon-is-fighting-back-against-workers-efforts-to-unionize.html.

passam fome no Brasil, há pessoas que dirigem carros de luxo na França, outras que precisam caminhar vários quilômetros a pé para garantir água para sua casa na Índia, há quem utilize apenas utensílios descartáveis de plástico em casa por ter preguiça de lavá-los no Canadá e famílias inteiras que usam pratos de plástico por não receberem água suficiente por mês em sua casa na Palestina devido à colonização de seu território por Israel.

Periferias empobrecidas se tornam mais vulneráveis pela negligência pública em termos de infraestrutura e por um planejamento urbano que assegura que os mais pobres economicamente se tornem também mais pobres ecologicamente.[53] O *racismo ambiental* contribui para que grupos racializados e marginalizados paguem um preço maior na forma de impactos destrutivos comparado a quem está mais bem posicionado nas estruturas e em especial em relação aos grandes responsáveis, que muitas vezes atuam deliberadamente para transferir os custos e os impactos.

Pessoas contribuem em níveis diferentes de acordo com seu poder econômico, com onde moram, com que serviços possuem à disposição, com o sistema político de seu país, com sua identidade de gênero e com vários outros fatores. Exatamente por isso não é possível analisar o problema do capitalismo apenas através da agência. Alguns poucos têm muito mais agência que a maioria, e isso se relaciona com a estrutura do sistema. Bezos certamente tem mais agência no sistema global que eu como indivíduo e que você como indivíduo (não imagino que alguém com a agência do poder econômico de Bezos leia este livro, mas nunca se sabe…).

O segredo de burgueses como ele é dominar setores inteiros e tornar seus serviços indispensáveis. Celulares são manufaturados hoje para durar pouco tempo, por meio da obsolescência programada, gerando desperdício de materiais naturais e exploração de trabalhadores no caminho. Mesmo assim, tenho um celular, e minha agência como indivíduo não é suficiente para frear esse problema.

---

53. Mike Davis, *Planeta favela* (São Paulo: Boitempo Editorial, 2006), n.p.

Uma opção seria não ter celular – o que, aliás, por questão de poder aquisitivo, é a realidade de muita gente. No caso dessas pessoas, não é sobre escolha, mas sobre não ter escolha. E eu, que tenho escolhas, percebo quão limitadas elas podem ser quando o sistema segue um padrão de exploração de seres humanos e da natureza. Os grandes burgueses podem até criar linhas de produtos com menor obsolescência, mas não serão as mercadorias que mais lhes enriquecerão, então há pouco incentivo para além da criação de pequenos nichos de mercado para quem conseguir e quiser comprar. A verdade, porém, é que até mesmo o produto mais sustentável, produzido dentro do modo capitalista de produção, terá algum nível de exploração embutido em si. Para tirar a exploração, apenas acabando com o sistema.

Historicamente, o capitalismo se desenvolveu como sistema dominante, e, mesmo que uma pessoa consiga escapar individualmente de relações capitalistas, por exemplo, ao se isolar em uma comunidade autossuficiente, essa ação individual não altera a dominação do sistema. É por isso que o capitalismo é considerado um fato social, pois coage até aqueles que não concordam com o sistema a viver sob ele caso queiram estar em sociedade.

Por causa desse aspecto totalizante do capitalismo, não é possível exigir que uma pessoa anticapitalista simplesmente viva em um local não capitalista. O anticapitalismo se opõe ao sistema, e até anticapitalistas que vivem hoje em sociedades atreladas ao socialismo – vide Cuba – devem permanecer anticapitalistas por conta do sistema global e também pelo alerta contra a influência capitalista em suas próprias sociedades.

Cuba é uma ilha no mar do Caribe, condição que lhe rende imagens de praias paradisíacas – junto às das figuras de Che Guevara e Fidel Castro. Mas, no século 21, pensar em Cuba também deveria trazer imagens do risco que o país sofre por ser uma ilha sob um processo desenfreado de *mudanças climáticas*.

O enorme impacto ambiental de nossa era não é resultado de simples ação humana, mas de ação humana no sistema capitalista. Se o capitalismo é um sistema de acumulação contínua, essa acumulação tem que ser baseada em algo; no caso, na exploração da força de trabalho e dos materiais da natureza. Daí a enorme desigualdade sob a qual vivemos e problemas catastróficos, como as mudanças climáticas.

As mudanças climáticas deste século não advêm de um ciclo natural de aquecimento planetário. A causa é identificada cientificamente como fruto de atividade humana, é uma causa antropogênica, mas não qualquer uma. Ou seja, reflexo de como a sociedade global se desenvolveu principalmente a partir da Revolução Industrial com a queima de combustíveis fósseis.[54]

O Painel Intergovernamental sobre Mudanças Climáticas (IPCC) é a maior autoridade científica hoje sobre o processo de aquecimento global, e seus relatórios identificam que a temperatura média global já aumentou consideravelmente de 1880 até hoje e alertam para os riscos caso ultrapassemos 1,5 °C de aumento em temperatura.[55] Caso ultrapassemos 2 °C, a situação ficará ainda mais grave, especialmente devido à imprevisibilidade de um desequilíbrio global do clima.[56]

A princípio, 1,5 °C ou 2 °C parecem pouca coisa, mas sabemos que tudo depende da escala. Esse aumento na temperatura média do corpo humano poderia indicar febre para você, mas não para a pessoa no quarto ao lado. Nas oscilações do tempo durante o dia em uma cidade, não é nada demais. Na escala planetária, que é a escala do clima, significa alterações graves no funcionamento de ecossistemas inteiros. Podemos falar de mais dias de temperaturas extremas, o que afeta a vida cotidiana e também a agricultura. Fenômenos como secas, chuvas e furacões se intensificam.

---

54. Eduardo Sá Barreto, *O capital na estufa: para a crítica da economia das mudanças climáticas* (Rio de Janeiro: Editora Consequência, 2018), 89.

55. ONU Brasil, "Mudança Climática | ONU Brasil", acesso em 10 junho de 2020, https://nacoesunidas.org/acao/mudanca-climatica/.

56. Barreto, *O capital na estufa: Para a crítica da economia das mudanças climáticas*, 27; Luiz Marques, *Capitalismo e colapso ambiental* (Campinas: Editora Unicamp, 2015), 395.

Há previsão de uma grande perda de biodiversidade na Terra, assim como de aquecimento dos oceanos e derretimento de gelo, o que por sua vez leva ao aumento do nível do mar. Isso é ainda mais preocupante para Cuba e outras ilhas, mas deveria ser motivo de atenção de todo mundo. É justamente por isso que nos referimos a fenômenos assim como "sistêmicos". E é justamente por isso que soluções para o aquecimento global que continuam afirmando a lógica do sistema capitalista devem ser tratadas como falsas soluções, uma vez que a sanha de acumulação do sistema está no centro da pressão exercida sobre o metabolismo da natureza.

As mudanças climáticas hoje são fruto da atividade industrial e comercial humana voltada para a acumulação intensa. As fontes de emissão de gases de efeito estufa são diversas, mas sua escala está completamente relacionada a como produzimos e aos padrões de consumo incentivados por essa lógica de produção. A dependência de combustíveis fósseis para a produção de mercadorias, combinada ao desmatamento que gera mudança no uso do solo para a criação de animais na pecuária de grande escala e outros interesses do agronegócio, contribuem em níveis assustadores para o aquecimento do clima.

Para além desse efeito, podemos falar de poluição, destruição de ecossistemas por mineração, desperdício, perda de biodiversidade na fauna e na flora, interrupção do ciclo da água e tantos outros eixos de impacto ambiental conectados à sede do capital.

A lógica passa por transformar a vida em mercadoria, de maneira a vender coisas, serviços e até mesmo afetos em um mercado voltado para o lucro. Por isso, o sistema capitalista precisa extrair minérios diversos da forma mais barata possível e demanda um número gigantesco de bens naturais vistos somente como recursos, tais quais água e energia. Todavia, quando há escassez de algum desses bens, é ao consumidor final que o governo se dirige quando fala de tomar banhos mais rápidos, por exemplo. Não que não seja desejável que indivíduos economizem no uso da água, mas percebe a contradição em termos de proporção?

O problema é potencializado quando se tem em vista que o sistema capitalista cria demandas pela influência ideológica, como o consumismo, influenciado por meio da propaganda, que hoje não está presente apenas nos intervalos televisivos, mas também nas peças publicitárias on-line e nos produtos usados por grandes influenciadores digitais que crescem com o objetivo de enriquecer com a venda da própria imagem.

Nesse modelo, enquanto pessoas passam fome em diversas partes do mundo, as sociedades são incentivadas a comer muito mais carne que antes, a fim de atender ao crescimento da agropecuária, cuja existência está ligada ao desmatamento, ao roubo de territórios indígenas, ao desperdício de água, à violência no campo, ao desenvolvimento de químicos nocivos a seres humanos e biomas, à exploração de trabalhadores e a enorme crueldade contra animais.

O capitalismo é um sistema de contradições. Além de se estabelecer na exploração de uma maioria por uma minoria, destrói os mesmos ciclos naturais dos quais depende para seguir produzindo. É um sistema de *rupturas metabólicas* contínuas. Para se manter, os agentes capitalistas precisam de uma sociedade organizada em vários níveis diferentes de desigualdade de modo a dividir quem trabalha entre quem vale apenas pela força de trabalho e quem vale também pelo poder de consumo. Para isso, é importante nutrir uma ordem de pensamento que justifica o capitalismo como único sistema possível, enquanto uma força política como o Estado ajuda a gerar legitimidade e impor coerção quando necessária para manter o sistema.

COMO O CAPITALISMO SE ORGANIZA

É impossível considerar classe sem demais elementos que organizam a vida de alguém a partir de sua identidade. Podemos falar aqui de raça, gênero e sexualidade, mas a inserção de uma pessoa na sociedade e no mercado de trabalho também depende de fatores como nacionalidade e de seu corpo. Como diz Juliana Borges, o "capitalismo é um sistema indissociado das desigualdades e da dominação do outro visando a lucro e acúmulo e concentração de riquezas".[57]

Ou seja, principalmente no contexto brasileiro, a questão *racial* é muito importante, pois o país foi construído (e segue sendo) com base na colonização e na escravização de corpos racializados.

O *racismo* vai além de ofensas e agressões individuais, embora graves, porque esse – o impacto individual, na realidade, é resultado de uma estrutura que normaliza as violências no nível micro a partir da violência e exclusão sistêmica de povos racializados no nível macro. No Brasil, isso fica evidenciado pela estrutura de racismo contra a população negra e os povos indígenas, além de outros grupos raciais.

Lélia Gonzalez, umas das maiores pensadoras negras do Brasil, explica que, no geral, a população negra brasileira foi "excluída da participação no processo de desenvolvimento, ficou relegada à condição de massa marginal, mergulhada na pobreza, na fome crônica, no desamparo", e isso se deu por diversos mecanismos de subordinação.[58]

Quando a exclusão e a discriminação ocorrem de forma sistêmica, identificamos uma estrutura por trás disso; no caso, a estrutura de supremacia racial branca que foi – e é – chave para processos de dominação ao redor do mundo. É por isso que Silvio Almeida estabelece que, apesar de haver racismo individual e institucional, sua existência como parte do racismo estrutural nos leva a entender o racismo como processo político e processo histórico.[59] Ele explica que, porque o racismo é um

---

57. Juliana Borges, *O que é encarceramento em massa?* (Belo Horizonte: Editora Letramento, 2018), 113.

58. Gonzalez, *Lélia Gonzalez: primavera para as rosas negras*, 73.

59. Silvio Almeida, *O que é racismo estrutural?* (Belo Horizonte: Editora Letramento, 2018), 40.

processo político que afeta negativamente grupos sociais inteiros, não há como falar de "racismo reverso" ou coisas assim, afinal, o racismo ganha suporte nas instituições e na ideologia de uma sociedade.

E o que o capitalismo tem a ver com isso? As relações de mercado não existem num vácuo, mas se relacionam e se apropriam de outras formas de discriminação e desigualdade de acordo com os interesses do sistema. Como o capitalismo influencia não somente as relações materiais econômicas, mas também a produção de sujeitos – de acordo com o que Engels nos alertou –, existe uma mediação entre classe e as categorias de raça, gênero, sexualidade, etnia, nacionalidade e questões sobre quais corpos são lidos como "normais", de acordo com cada sociedade.

Como pessoas se tornam exploradas ou exploradoras no sistema capitalista, o sistema faz a "incorporação de preconceitos e de discriminação que serão atualizados para funcionar como modos de subjetivação no interior do capitalismo".[60] Há uma relação direta entre a ideologia racista perpetuada na sociedade e como a estrutura econômica se alimenta desse racismo e, portanto, retroalimenta o ciclo de acordo com os interesses da época.

Para Clóvis Moura, esse é o retrato da estrutura social do Brasil, uma vez que, "na passagem do trabalho escravo para o livre, [a estrutura] permaneceu basicamente a mesma, os mecanismos de dominação, inclusive ideológicos, foram mantidos e aperfeiçoados".[61] A ideologia racista não se sustentaria sozinha não fosse a existência e a reprodução dos mecanismos de dominação; ou seja, a materialidade do racismo.[62] Ao mesmo tempo, a ideologia racista contribui para que a exclusão de grupos sociais inteiros seja tratada como normal e para que a violência seja sempre uma opção para os defensores dessa normalidade. A

---

60. Almeida, *O que é racismo estrutural?*, 132.

61. Clóvis Moura, *Sociologia do negro brasileiro* (São Paulo: Perspectiva, 2019), 46.

62. Cleiro Pereira dos Santos et al., *Capitalismo e questão racial*, ed. Cleiro Pereira dos Santos and Nildo Viana (Rio de Janeiro: Editora Corifeu, 2009), 24; 27.

objetificação e a desumanização de corpos racializados, uma espécie de "coisificação", é material e simbólica ao mesmo tempo.[63]

Não por acaso, a maioria das pessoas encarceradas no Brasil hoje é negra e a maioria das vítimas de violência policial nas periferias brasileiras também é negra.[64] Não por acaso, a estratégia do Estado brasileiro para os povos indígenas reside em rejeitar ou atrasar processos de demarcação de seus territórios a fim de promover sua assimilação na cultura "branca" e criar mais um segmento de trabalhadores que precise vender sua força de trabalho para sobreviver, seja para o capitalista da cidade, seja para o capitalista do campo, na forma do agronegócio.

Aqui mostra-se importante destacar o impacto do *etnocídio* e do *genocídio* indígenas no Brasil e ao redor do mundo. Apesar de caminharem juntos, o etnocídio difere do genocídio no sentido que utiliza de ferramentas como apagamento da cultura, da língua e remoção de territórios tradicionais, o que enfraquece as comunidades dos povos atingidos. Indígenas são alvo de forte etnocídio desde o período da colonização portuguesa no Brasil, mas outras minorias também são afetadas por atrapalharem interesses como os da propriedade da terra ou "ameaçarem" expectativas conservadoras de padrões culturais. O genocídio, por sua vez, consiste em políticas concretas e deliberadas com o intuito de eliminar parte ou a totalidade de uma comunidade ou um povo. O genocídio é assassinato em massa, pode ser causado por violência massificada por um grupo ou pelo Estado, mas também por meio de políticas específicas que discriminam e enfraquecem o grupo-alvo. Um genocídio promove uma limpeza étnica, que também ocorre via remoções, expulsão de territórios, destruição de patrimônios e a infraestrutura de uma comunidade.

---

63. Borges, *O que é encarceramento em massa?*, 58.

64. Nataly Simões, "Negros e periféricos são os mais afetados pelo aumento da população carcerária no Brasil", Alma Preta, 2019, https://www.almapreta.com/editorias/realidade/negros-e-perifericos-sao-os-mais-afetados-pelo-aumento-da-populacao-carceraria-no-brasil.

Além desse âmbito, ao olhar para a materialidade da organização do capitalismo, é impossível negar o papel da divisão social por meio do gênero. O *gênero* é um fator importante da sociedade patriarcal na organização da divisão de trabalho público e doméstico, visível e invisível e até mesmo remunerado e não remunerado (ou mal remunerado). Quando digo "patriarcal", refiro-me à estrutura conhecida como patriarcado, que é um sistema de lógica própria (a da opressão de gênero), mas não é um sistema autônomo, que existe isolado do capitalismo. Ao contrário, hoje, o sistema de dominação na base do gênero se desenvolve dentro de um contexto de propriedade e trabalho. Assim, a afirmação de Engels sobre o materialismo histórico aponta como analisar também a opressão da mulher.

Como coloca Cinzia Arruzza, há vários entendimentos nos estudos feministas sobre o sistema patriarcal, e uma definição mais genérica seria: "Um sistema de relações, tanto materiais como culturais, de dominação e exploração de mulheres por homens. Este é um sistema com sua própria lógica, que é ao mesmo tempo maleável a mudanças históricas, em uma relação de continuidade com o capitalismo".[65]

Enquanto o patriarcado corresponde à estruturação da opressão, o machismo é a expressão direta dessa opressão e se manifesta como violência, discriminação, imposição, objetificação e desvalorização. A opressão de gênero não simplesmente se cruza com a exploração de classe; há uma articulação que gera uma lógica para a divisão do trabalho, para a geração de valor e que intensifica processos de objetificação que são de interesse de machistas e do sistema capitalista, que, por si só, tem a objetificação e a alienação como elementos centrais de sua operação.

Existe um conceito do feminismo marxista que é fundamental para a compreensão dessa articulação entre gênero e classe e que colabora para um entendimento unificado do capitalismo e

---

65. Cinzia Arruzza, "Considerações sobre gênero: Reabrindo o debate sobre patriarcado e/ou capitalismo", *Revista Outubro*, nº 23 (2015): 39.

sua dimensão patriarcal. Trata-se do conceito de *reprodução social*, que traz à tona o trabalho envolvido na reprodução de seres humanos e na reprodução da força de trabalho[66] – ou seja, todo trabalho que envolve cuidado, criação, planejamento, execução de tarefas domésticas e até mesmo afeto e que auxilia na manutenção da vida de crianças, adultos e pessoas idosas.

As tarefas de reprodução social em geral são dividas de acordo com gênero na sociedade. Por mais que existam residências em que as tarefas domésticas são dividas de forma igualitária, sem distinguir papéis tradicionais de gênero, a norma social ainda impõe que certos afazeres são "coisa de mulher", e a expectativa ainda recai sobre a mulher.

Por esse motivo, feministas marxistas explicam que o trabalho doméstico costuma ser invisibilizado, não remunerado ou mal remunerado. No caso de sociedades em que a classe trabalhadora também é altamente racializada, isso muitas vezes resulta em dinâmicas como a da mulher negra que é empregada doméstica e se torna responsável pelos afazeres de reprodução social na residência em que faz trabalho remunerado (em geral mal remunerado) e os afazeres da própria residência. A lógica da mulher que trabalha fora e também faz o trabalho doméstico na própria casa é a de jornada dupla de trabalho. Com a precarização do trabalho, custos crescentes de vida e pouco apoio estatal na área de cuidado (como acesso a creches), a dinâmica da mulher trabalhadora pode chegar até a jornadas triplas e quádruplas.

Essa situação é extremamente vantajosa para capitalistas (e para o Estado capitalista), pois o custo da reprodução social não é contabilizado no custo de reprodução da força de trabalho. Isso quer dizer que o salário mínimo necessário para manter a força trabalhadora pode ser mais barato, já que todo o trabalho executado para garantir comida feita, roupa limpa, planejamen-

---
66. Silvia Federici, *O ponto zero da revolução* (São Paulo: Editora Elefante, 2019), 269.

to doméstico e até mesmo saúde mental é mantido invisível e, na maioria dos casos, gratuito.

A questão de gênero também se reflete na desigualdade entre pessoas cisgênero e transgênero.[67] Cisgênero é alguém que se identifica com o gênero que lhe foi atribuído ao nascer, ou seja, alguém que se identifica pela sociedade como mulher ou homem a partir de certas características biológicas (ex.: genitália) e segue se identificando como tal. Já a pessoa transgênero não se identifica da mesma forma, "transitando entre os gêneros".[68] A sigla comumente usada para se referir à diversidade em gênero e orientação sexual hoje é LGBTQIA+ – respectivamente, lésbicas, gays, bissexuais, transexuais, travestis e transgêneros, *queer*, intersexuais, assexuais e o símbolo de "+" cumpre a função de englobar maior diversidade e até mesmo aliados da luta/comunidade.[69] A categoria *queer* opera como "guarda-chuva" para todas as pessoas que desafiam a *cis-heteronormatividade*.

É importante ressaltar a *transfobia*, que também se relaciona com o capitalismo. A cisnormatividade, que é o sistema que elenca pessoas cis como normais e como normas – e que trata pessoas trans com discriminação –, é útil para o capitalismo, no sentido de excluir pessoas trans de várias oportunidades de trabalho, estudo e até moradia. A lógica binária de gênero baseada em traços biológicos da cisnormatividade exclui, penaliza e vulnerabiliza quem não se conforma às regras de gênero, o que afeta pessoas intersexuais e não binárias.

Estruturalmente, surge, então, mais uma categoria em que, por virtude da exclusão sistêmicas, pessoas trans se encontram em vulnerabilidade, como alvo de violência e acabam aceitando

---

67. Agradeço à Lana de Holanda a leitura e os comentários referentes a esse trecho do livro sobre a luta LGBTQIA+.

68. Aliança Nacional LGBTI e GayLatino, *Manual de comunicação LGBTI+* (Curitiba: Núcleo de Estudos Afro-Brasileiros - Universidade Federal do Paraná, 2018), 30.

69. Os debates sobre gênero e sexualidade são bastante vívidos, e a convenção sobre a sigla pode mudar.

empregos precários, quando os encontram. Hoje o Brasil lidera o triste *ranking* de assassinatos de pessoas trans e, de acordo com dados de 2019, "90% da população de travestis e mulheres transexuais utilizam a prostituição como fonte de renda".[70]

A transfobia se soma à discriminação na base da orientação sexual. A *lesbofobia*, a *homofobia* e a *bifobia* são expressões discriminatórias e opressoras contra lésbicas, gays e bissexuais, respectivamente.[71] Ambientes de trabalho LGBTQIA+fóbicos são nocivos e aumentam a pressão sobre trabalhadores LGBTQIA+. Assim, por mais que existam versões liberais de política inclusiva, principalmente em como incentiva uma cultura de consumo individual ao redor de um suposto empoderamento LGBTQIA+, feminista e racial, não significa que o capitalismo em si é capaz de ser inclusivo. Afinal, um sistema que se baseia na exploração da maioria apenas se engaja em seletividade tática para garantir nichos de consumo e aceitação. O objetivo não é a luta antiopressão, que exige ir à raiz e confrontar o próprio capitalismo, mas a transformação de identidades em mercadorias, expressa no identitarismo liberal.

O mesmo pode ser dito de celebrações de mercado sobre diversidade cultural, o multiculturalismo, enquanto em diversos cantos a polícia segue com práticas racistas e o *status* legal de uma pessoa se mantém condicionado a direitos de nacionalidade. O resultado são milhões de pessoas refugiadas, deslocadas, imigrantes que são consideradas "ilegais", que têm direitos básicos negados e são expostas a subempregos, informalidade e marginalidade.

Há também o *capacitismo*, cuja crítica segue marginalizada em muitos espaços. Como explica Anahi Guedes de Mello, o capacitismo consiste em "atitudes preconceituosas que hierarquizam sujeitos em função da adequação de seu corpo a um ideal de

---

70. Bruna G. Benevides e Sayonara Naider Bonfim Nogueira, *Dossiê: Assassinatos e violência contra travestis e transexuais brasileiras em 2019* (São Paulo: ANTRA, 2020), 8; 31.

71. Aliança Nacional LGBTI e GayLatino, *Manual de Comunicação LGBTI+*, 36.

beleza e a uma capacidade funcional".[72] Pessoas com deficiência sofrem o impacto do capacitismo quando são discriminadas de acordo com expectativas externas do que devem fazer na sociedade, assim como quando são tratadas de forma idealizada, como seres frágeis inocentes que precisam de comiseração.

A discriminação impede o acesso pleno de pessoas com deficiência a serviços públicos essenciais, como o sistema de saúde e a educação, além de empregos dignos. O preconceito cria estereótipos que contrastam pessoas com deficiência com quem seria "normal", apelando a um conceito de normalidade capacitista e excludente. A idealização reduz pessoas com deficiência a exemplos de "superação", o que limita sua subjetividade e segue inserindo suas experiências de vida em caixinhas definidas de acordo com a concepção capacitista de normalidade.

A concepção de deficiência pertence a certo contexto histórico-social e expectativas da dinâmica social em relação ao corpo do outro.[73] Por isso, é preciso situar também como, para o capitalismo, corpos com deficiência são considerados menos "produtivos" e, portanto, são menos valorizados no contexto da produção e do consumo que corpos de pessoas sem deficiência. Ademais, a adequação às demandas de acessibilidade é tratada como custo adicional, não como custos previstos para que todas as pessoas sejam incluídas. É importante mencionar que isso é válido para os debates que abordam as pessoas com deficiência, mas também para pessoas neurodiversas e com síndromes crônicas de saúde (física e mental), embora cada caso tenha suas características específicas e demandas próprias sobre acessibilidade e inclusão.

Entender como o sistema capitalista se organiza em vários pilares diferentes de desigualdade é importante porque nos apresenta quem é a classe trabalhadora e levanta reflexões sobre

---

72. Anahi Guedes de Mello, "Deficiência, incapacidade e vulnerabilidade: Do capacitismo ou a preeminência capacitista e biomédica do comitê de ética em pesquisa da UFSC", *Ciência e Saúde Coletiva* 21, nº 10 (2016): 3266.

73. "O que é deficiência? (Com Sidney Andrade)", *Central PCD - Podcast*, 2020.

como organizar essa classe e nutrir a consciência necessária para desafiar o capitalismo. Trata-se de reconhecer que

> longe de estar restrita a homens brancos heterossexuais, em cuja imagem ainda é muito frequentemente fantasiada, a maior parte da classe trabalhadora global é constituída de imigrantes, pessoas racializadas, mulheres – tanto cis como trans – e pessoas com diferentes capacidades, cujas necessidades e desejos são renegados ou deturpados pelo capitalismo.[74]

A GESTÃO DO SISTEMA

O capitalismo não existe sem o *Estado*, e os sistemas de organização da exclusão que mencionei são assegurados e gerenciados pelo Estado, que, por sua vez, é uma estrutura de organização política que inclui diversas instituições que controlam uma ou mais comunidades em um ou mais territórios. O Estado não é a mesma coisa que o governo. O Estado é administrado por um governo específico, que, no caso de um sistema político de democracia representativa liberal, foi eleito de acordo com uma periodicidade e regras preestabelecidas. Governos mudam com frequência nesse sistema, e a lógica do Estado é mais permanente.

Estado como entidade expressa as relações de propriedade de uma sociedade e, portanto, os interesses dos grandes detentores de propriedade. Isso significa que, numa sociedade capitalista, a gestão estatal é também uma gestão do capitalismo: da maior liberdade dada ao mercado às condições materiais proporcionadas pelo Estado ao mercado. Esse último elemento se evidencia em períodos de crise, quando grandes corporações que em geral rejeitam as regulamentações de suas atividades

---

[74]. Cinzia Arruzza, Tithi Bhattacharya e Nancy Fraser, *Feminismo para os 99%: Um manifesto* (São Paulo: Boitempo Editorial, 2019), 55.

pelo Estado, ou a obrigatoriedade de pagar impostos, buscam o Estado para salvar suas operações da falência por meio de incentivos fiscais, perdão de dívidas, empréstimos e investimentos públicos, além de mudanças favoráveis na legislação.

Baseado nesse entendimento, Marx e Engels escrevem: "O executivo no Estado moderno não é senão um comitê para gerir os negócios comuns de toda a classe burguesa".[75] Mikhail Bakunin, anarquista (não marxista), descreve o Estado como quase "uma máquina, mas o fundamental é que, para sua salvação e existência, haja sempre qualquer classe social privilegiada que se interesse pela existência, e é precisamente o interesse desta classe privilegiada que se costuma chamar de 'patriotismo'".[76] Rosa Luxemburgo afirma que se trata de um Estado de classe.[77]

Há bastante discussão sobre o Estado no debate marxista; no geral, o Estado no capitalismo é capitalista, mas há certo grau de autonomia. Isso quer dizer que, enquanto as regras do Estado forem capitalistas, até mesmo um governo de esquerda terá dificuldades de governar por causa dessas regras, mas não será necessariamente refém do mercado a absolutamente cada passo. A autonomia relativa do Estado implica um jogo de contradições a ser navegado enquanto o capitalismo existir. Um governo anticapitalista só conseguirá lidar com essa contradição caso se empenhe para resolver a contradição na raiz, ou seja, enfraquecendo o capitalismo por meio da oposição ao gerenciamento dos interesses da burguesia e com métodos que desloquem o poder político para a classe trabalhadora.

Como o capitalismo opera enquanto sistema global, o governo anticapitalista encontrará resistência da burguesia nacional, mas também internacional. O arranjo entre o Estado e a burguesia é o normal da sociedade capitalista – e é por isso que

---

75. Marx e Engels, *Manifesto do Partido Comunista*, 42.

76. Mikhail Bakunin, *Mikhail Bakunin - Textos escolhidos* (Rio de Janeiro: Zangu Cultural, 2017), n.p.

77. Luxemburgo, *Rosa Luxemburgo: Textos escolhidos - Volume 1 (1899-1914)*, 28.

partidos com projetos anticapitalistas são confrontados com a necessidade de derrubar o Estado capitalista para dar lugar a um Estado proletário como única forma de escapar dos limites de tentar governar para o povo trabalhador, mas sob pressões e regras da minoria dominante.

Essa tarefa é ainda mais difícil quando identificamos os poderes do Estado para assegurar os interesses burgueses e suprimir revoltas e oposição anticapitalista em geral.

Um desses poderes é o *monopólio da violência* oficial e legítima. É oficial por ser executada de forma reconhecida e é legítima porque é o próprio Estado que legitima ou não a existência de algo por meio da "ordem" e da "legalidade". Não por acaso, discursos acerca de "lei e ordem" são com frequência conservadores, punitivistas, e naturalizam o direito do Estado de agir sobre seus cidadãos e até mesmo cidadãos de outros locais.

É justamente por isso que, quando uma operação policial destrói o pouco patrimônio privado de alguém em sua atividade, ou até mata pessoas pelo simples acaso de estas estarem no "lugar errado na hora errada", o efeito da operação é naturalizado como ossos do ofício e coisa que simplesmente acontece.

Enquanto isso, do cidadão espera-se que aceite as circunstâncias com passividade máxima, até mesmo quando a polícia é responsável pela morte de parentes e amigos tratados como mero dano colateral. O que sobra é recorrer às instâncias oficiais da justiça, que, por sua vez, opera sob as mesmas regras da polícia, regras do Estado capitalista, em que o interesse no lucro influencia o interesse na manutenção da vida.

Quando se cansam, as pessoas resolvem expressar seu descontentamento, sua indignação e sua raiva em manifestações, que também estão sujeitas às mesmas regras e podem ser reprimidas pela polícia a mando do governo, que se vê amparado no poder estatal.

Ou seja, o monopólio da violência reproduz a legitimidade e poder do Estado, que determina como, quando e onde a violência estatal deve ser aplicada. Essa é a força da *coerção* – no entanto, o Estado não opera somente por ela, mas por meio da produção de *consenso/consentimento*.

O já citado Antonio Gramsci explica que o Estado busca o consenso da população em relação à ordem vigente, mas não o faz passivamente, pois o consenso pode ser (e com frequência é) "educado".[78] Instituições atreladas à imprensa, à educação formal, assim como a propaganda direta e até mesmo a Igreja, podem cumprir um papel na educação desse consenso. Se o Estado é capitalista, interessa manter o capitalismo e, portanto, evitar/desencorajar a revolta contra esse sistema.

É por isso que, mesmo sob "democracias", entendidas nos moldes liberais de eleições representativas, separação de poderes e direitos civis e políticos, que operam em sociedades capitalistas, certos questionamentos sobre o sistema são penalizados e chamados de antidemocráticos. O maior exemplo disso é a impossibilidade de questionar a supremacia da propriedade privada e dos capitalistas sem que o Estado responda com um enorme movimento de consenso e coerção.

Por isso, lideranças comunistas no decorrer da história classificaram até mesmo regimes democráticos (nos moldes citados) como "ditaduras".[79] Não se trata de ditadura no sentido de ausência de liberdades políticas formais, como o voto e o poder de questionamento pela maioria, mas no sentido de "ditadura" de uma classe só, como a "ditadura da burguesia". Sobre isso, Lênin explica:

> A sociedade capitalista, considerada nas suas mais favoráveis condições de desenvolvimento, oferece-nos uma democracia mais ou menos completa na República democrática.

---

78. Guido Liguori e Pascuale Voza, eds., *Dicionário gramsciano* (São Paulo: Boitempo Editorial, 2018), 141.

79. Faço uso do termo "ditadura" entre aspas quando me refiro à dominação de uma classe; a ausência de aspas corresponde ao entendimento mais comum de ditadura como regime político com pouca ou nenhuma participação popular, concentração de poderes e dinâmica autoritária.

Mas essa democracia é sempre comprimida no quadro estreito da exploração capitalista; no fundo, ela não passa nunca da democracia de uma minoria, das classes possuidoras, dos ricos.[80]

Ainda na concepção gramsciana, Benjamin Fogel nos lembra que a *corrupção* também pode ser uma forma de governar, "quando é impossível governar somente através do consenso e a força é uma estratégia política arriscada demais".[81] Sob o capitalismo, a corrupção deveria ser vista menos como uma atitude de exceção feita por pessoas imorais e mais como um fator sistêmico que negocia elementos privados no regime público político.

A *ideologia* tem um papel muito importante em assegurar consenso e normalizar situações vigentes ou indicar quais alternativas são possíveis. Como enfatiza Terry Eagleton, não existe definição única e suficiente de ideologia.[82] Ideologia possui significados diferentes – e até opostos – de acordo com o debate em questão e com divergências até mesmo dentro do marxismo.

A ideologia surge a partir das relações materiais e serve para afirmá-las ou contestá-las. A ideologia pode afirmar a realidade atual, mas ao mesmo tempo ser falsificadora, caso impeça que se enxerguem alternativas.[83] Assim, produções ideológicas expõem ou escondem fatores e se relacionam com cultura, religião, valores e projetos políticos definidos. Por isso, a ideologia deve ser também analisada em relação aos interesses servidos com o avanço daquela postura ideológica.

O conjunto de ideologias que operam em meio ao capitalismo cumpre um papel importante de encaminhar a consciên-

---

80. Vladimir Ilitch Lenin, *O Estado e a revolução* (Campinas: Navegando Publicações, 2011), 134.

81. Benjamin Fogel, "Brazil: Corruption as a Mode of Rule", *NACLA Report on the Americas* 51, nº 2 (2019): 155 (tradução livre).

82. Terry Eagleton, *Ideologia: Uma Introdução* (São Paulo: Editora da Universidade Estadual Paulista: Boitempo Editorial, 1997).

83. Eagleton, 38.

cia teórica de explorados e oprimidos para longe da consciência prática, evitando a síntese que permitiria ação informada e entendimento alinhado com a realidade concreta.

Uma posição ideológica que se traduz em projeto político com bastante força em nossa era é justamente o *liberalismo*. Quando falo de liberal isso, liberal aquilo, é ao liberalismo, a sua história e sua complexa manifestação atual que me refiro. O liberalismo, muitas vezes, é associado com a liberdade, mas, no debate geral, pouco se questiona sobre o que isso de fato quer dizer. Parte da razão é justamente o êxito do liberalismo em se apresentar como neutro e "desinteressado".[84]

Enquanto discuto liberdade no contexto da emancipação da exploração e da opressão, como fica mais evidente no capítulo seguinte, a liberdade no liberalismo não se dissocia da propriedade privada. Como aponta Domenico Losurdo, a tradição liberal é tão atrelada à propriedade privada que grandes figuras do liberalismo também foram defensoras da escravidão e/ou se beneficiaram diretamente dela.[85]

O pensador liberal John Locke[86] afirma que "todos os homens são iguais por natureza" e que todo homem tem direito igual "*à sua liberdade natural*, sem estar sujeito à vontade ou autoridade de nenhum outro homem".[87] Mas ele limita sua própria proposição, já que considera que idade, berço, virtude, mérito, benefício, "excelência de capacidades" e alianças alteram a condição de igualdade. É por essa visão torta de liberdade que Losurdo o critica:

> Aos olhos de Locke, os "prisioneiros capturados no decorrer de uma guerra legítima" (por parte dos vencedo-

---

84. Eagleton, 148.

85. Domenico Losurdo, *Contra-história do liberalismo* (Aparecida: Ideias & Letras, 2006), 16-18.

86. Locke também foi acionista da Royal African Company, corporação que atuava no comércio/tráfico de africanos escravizados.

87. John Locke, *Dois tratados sobre o governo* (São Paulo: Martins Fontes, 1998), 431-32.

res) chegaram "por assim dizer a jogar (*forfeited*) a sua vida e com isso a sua liberdade". Eles são escravos, "pela lei da natureza sujeitos ao domínio absoluto e ao incondicionado poder dos seus donos".[88]

É importante chamar atenção para isso, pois o liberalismo é a ideologia dominante das grandes potências capitalistas e sua versão de democracia. Isso escancara porque perspectivas liberais servem ao capitalismo com uma visão de liberdade aparentemente sedutora, mas que naturaliza a exclusão e processos de dominação que cumprem interesses privados, tanto relacionados à propriedade privada quanto a uma concepção individualizada de liberdade.

Enquanto o liberalismo político se opõe em princípio a formas autoritárias, ele também condiz com a dominação, desde que sirva a tais interesses. Não por acaso, em muitas potências liberais o encarceramento e a pena de morte convivem bem com os ideais de "liberdade". Falar sobre essa coexistência é importante, pois muitas vezes ouvimos que o liberalismo e o conservadorismo são opostos ou que, quando convivem, a relação é pontual.

Todavia, a figura do liberal-conservador se encontra com frequência, em especial na configuração do liberalismo na economia (traduzido como "menos Estado, mais mercado") e do conservadorismo nos costumes (simbolizado, por exemplo, pela ideia de uma família tradicional patriarcal com valores religiosos). Samuel Silva Borges explica que,

> como aponta José Guilherme Merquior, tal conjunção também pode ser chamada de "liberalismo conservador", exemplificado por Herbert Spencer e Benedetto Croce, e "conservadorismo liberista", exemplificado pelos *whigs* na Inglaterra, combinando elementos clássicos do conservadorismo, como tradicionalismo, organicismo e ceticismo político, com um liberalismo, definido como

---

88. Losurdo, *Contra-história do liberalismo*, 35.

liberismo por Merquior, que dá primazia à liberdade econômica sobre outras liberdades civis e políticas que suscitam um liberalismo mais democrático e economicamente reformista.[89]

O punitivismo promovido com vigor por liberais exemplifica esse casamento ideológico. Uma ideologia *punitivista*, por exemplo, normaliza o monopólio coercitivo do Estado e legitima a solução para a criminalidade e desvios do comportamento considerado aceitável naquela sociedade como punição por meio da polícia, do encarceramento, da exclusão, do sofrimento e da desumanização. Em certos casos, a violência – e até a tortura – é vista como opção viável.

Responsabilizar quem cometeu atos que ferem o outro e são destrutivos socialmente e pedir justiça em geral não é punitivismo. O punitivismo como ideologia se baseia no uso de aparatos punitivos e confunde "fazer justiça" com métodos de controle, vigilância, vingança e punição assegurados pelo aparato punitivo. Se uma pessoa ou alguém próximo sofre um ato de violência, é evidente que sentimentos punitivos podem vir à tona; todavia, há diferença entre o pedido de vingança por quem foi afetado e um aparato de justiça voltado para punição em vez de caminhos que poderiam alterar o cenário de violência e criminalidade.[90]

Para lidar com ideologias que geram falsas soluções e servem para legitimar o estado atual das coisas, é preciso cavar ideologias, projetos, espaços e construções diferentes.

Como a dupla consciência está em conflito sob o capitalismo, a ideologia disputa rumos, mas não é total, não é absoluta,

---

89. Samuel Silva da Fonseca Borges, "Imagens da ideologia punitiva - Uma análise de discurso crítica do Movimento Brasil Livre", *Dissertação de Mestrado* (Universidade de Brasília, 2019), 131.

90. Comitê cearense pela desmilitarização da polícia e da política, "A (des)construção do criminoso: Entrevista com Orlando Zaccone D'Elia Filho", in *Desmilitarização da polícia e da política: uma resposta que virá das ruas* (Uberlândia: Pueblo, 2015).

porque há a consciência prática com que podemos trabalhar. A visão de mundo que vem a partir da materialidade e se transforma em método e teoria contribui para contestar a ideologia dominante e promover alternativas. O desafio consiste também em gerar espaço para apresentar, pautar e construir as alternativas.

Isso indica que o debate sobre democracia não é tão simples quanto parece. É preciso qualificar o que entendemos por democracia – e eu creio que uma forma de fazer isso seja com a discussão de casos. Um dos autores que auxilia nessa compreensão é Florestan Fernandes, em especial quando discute democracia restrita, ampliada e socialista.

A democracia restrita é essa a que Lênin se refere. Há um conjunto de direitos civis e políticos; todavia, as possibilidades de romper com a dominação capitalista são suprimidas e o poder econômico da classe capitalista influencia diretamente as decisões políticas[91] – seja pela influência sobre representantes políticos, seja pela lógica do Estado capitalista em proteger os interesses do mercado em nome do "crescimento" e do "desenvolvimento". Na democracia restrita, pode ocorrer alternância de representação, o que não significa necessariamente alternância de poder.

Na democracia ampliada, há maior participação dos cidadãos, com ganhos principalmente para a classe trabalhadora, e isso fortalece formas de reivindicar mais direitos sociais, políticos e econômicos; contudo, a lógica ainda é pautada pela estrutura capitalista. Ainda há, mesmo com eleições livres, uma "ditadura" da burguesia, uma dominação por parte dessa classe, a qual não pode ser livremente contestada de acordo com as regras do Estado.

Isso não significa, porém, que podemos abandonar o cuidado para preservar até mesmo a democracia restrita, pois mesmo a democracia liberal nos moldes do Estado capitalista

---

91. Florestan Fernandes, *A revolução burguesa no Brasil: Ensaio de interpretação sociológica* (São Paulo: Editora Globo, 2006), 249.

permite mais liberdades e possibilidades de se organizar que um regime ditatorial, como já tivemos no Brasil. Mesmo assim, nos opomos estrategicamente ao limite liberal da democracia liberal, já que ela normaliza o capitalismo e visa bloquear o triunfo de uma democracia alternativa. Até mesmo a corrupção, que é muito mais que mero desvio moral, como é em geral tratada no senso comum, se vê normalizada por causa da tentativa de conciliar interesses privados com interesses gerais em uma sociedade desigual.

A democracia liberal, sob os preceitos do liberalismo, varia entre um formato restrito e um formato ligeiramente ampliado, desde que a ampliação não leve à maior organização de trabalhadores rumo à democracia socialista.

Trata-se de reconhecer os limites da democracia restrita, que opera dentro da dinâmica do Estado capitalista, um Estado com interesses econômicos subordinados aos interesses econômicos da classe dominante, e ao mesmo tempo identificar como os regimes ditatoriais do século passado na América Latina foram marcados pelo intuito em aprofundar tais interesses econômicos.

Neste ponto, surge a necessidade de discutir brevemente o papel do fascismo na gestão do capitalismo.

O *fascismo* existe como ideologia e, caso essa ideologia prospere, pode passar a existir como conjunto de características políticas de um regime autoritário. A discussão sobre fascismo não se restringe à Itália ou à Alemanha do século 20, mesmo que essas sejam referências históricas para compreender o fascismo e aprender a derrotá-lo.

Leandro Konder oferece uma explicação didática sobre o que é fascismo e enfatiza que o fascismo surge em uma fase mais intensa do capitalismo, quando se faz necessário acirrar a lógica de expropriação a fim de evitar prejuízos para os grupos dominantes. Assim, o fascismo "é um movimento político de conteúdo social conservador, que se disfarça sob uma máscara 'modernizadora', guiado pela ideologia de um pragmatismo radical, servindo-se de mitos irracionalistas e conciliando-os com procedimentos racionalistas-formais de tipo manipulatório"[92]

A política fascista serve ao sistema capitalista porque oferece a oportunidade de garantir o funcionamento da forma de produção e mercado sem "obstáculos" impostos pela base democrática liberal. O fascismo não surge do nada, mas sua semente permanece oculta em uma sociedade capitalista para que, em momentos de crise e/ou oportunidade, possa brotar como alternativa reacionária. Por isso, concretamente, o fascismo se manifesta como política contrária aos interesses da classe trabalhadora, mesmo que aparente estar a favor do povo (entendido de formas diversas). Essa contradição é carregada principalmente quando o fascismo começa a aflorar, pois há uma busca por consenso para não depender somente da coerção como via de governo.

Embora a alternância entre democracia restrita e democracia ampliada seja preferida por capitalistas adeptos de valores liberais sobre separação de poderes, eleições livres[93] e direitos humanos, é importante questionar se, para derrotar o fascismo, essas pessoas favoreceriam uma política radical de esquerda ou optariam por discursos atrelados à teoria da ferradura.

Como disse, o fascismo não surge do nada, mas é semeado. Portanto, vale examinar a parcela da elite brasileira que se alinhou a políticas bolsonaristas enquanto lhe serviam, mas pulou do barco quando percebeu a perda de popularidade do governo. Vale questionar quanto capitalistas "democráticos" toleram as ideias fascistas desde que os lucros sejam garantidos e certos limites não sejam ultrapassados.

Por fim, é preciso pontuar sobre a gestão do capitalismo em nível internacional. Afinal, tratando-se de um sistema globalizado, não há como negar que se manifesta de forma diferente em

---

92. Leandro Konder, *Introdução ao fascismo*, 2ª edição (São Paulo: Expressão Popular, 2009), 53.

93. Quão livres realmente são as eleições quando o poder econômico influencia visibilidade, campanha, projetos e recursos?

países distintos e que os interesses da burguesia de um país desenvolvido levam a uma dinâmica de subordinação até mesmo da mais alta elite de uma nação subdesenvolvida. Isso exige que se discuta o papel do *imperialismo*.

Lênin descreve o imperialismo como fase superior do capitalismo. Nós chamamos de "imperialismo" o conjunto de políticas de expansão econômica e/ou territorial que atravessam uma relação de dominação econômica, política, cultural, diplomática e/ou militar com intuito de transferir valor comercialmente ou via expropriação de um território/país a outro. Intervenções imperialistas podem parecer democráticas pelo foco em consenso e relações diplomáticas, mas o imperialismo tem um longo histórico de apoio a golpes militares ou guerras declaradas.

Países em situação de *capitalismo dependente* são alvo fácil de políticas imperialistas, as quais aprofundam a exploração de seus trabalhadores e de seus recursos naturais como formas de transferência de valor para países desenvolvidos intervencionistas.

No plano internacional, entendemos que há nações onde o capitalismo está bem desenvolvido e outras onde é subdesenvolvido. Como o sistema é global, isso faz parte de uma dinâmica que muitos pensadores entendem como relação de dependência.

O Brasil é um país de capitalismo dependente. Sua indústria nacional é subdesenvolvida, e seu desenvolvimento econômico é atrasado e com demasiado foco em exportação de matéria-prima, o que afeta a autonomia nacional.[94] Os grandes capitalistas brasileiros, isto é, a burguesia nacional, domina internamente, mas é subordinada aos interesses da burguesia de países desenvolvidos, em especial daqueles que se desenvolvem a partir dessa relação de dominação econômica (e militar), como os Estados Unidos.[95] Para as economias imperialistas, uma relação econômica com um país de capitalismo dependente significa mão de obra barata, recursos naturais baratos e, muitas vezes, uma de-

---

94. Fernandes, *Sociedade de classes e subdesenvolvimento*.

95. Fernandes, *A revolução burguesa no Brasil: Ensaio de interpretação sociológica*.

mocracia restrita frágil passível de ser influenciada ou se tornar alvo de intervenção direta.

Um olhar sobre o Brasil exige atenção para os interesses imperialistas, o que também nos ajuda a compreender melhor a relação de mineradoras estrangeiras com a América Latina, a forma como a Venezuela é retratada na grande imprensa e como golpes de Estado acontecem nessa região.

Além disso, assim como não é possível desvincular a relação do imperialismo com o capitalismo, não é possível separar o imperialismo de sua relação com o racismo. Como coloca Angela Davis ao discutir o desenvolvimento do racismo moderno no fim do século 19: "O racismo alimentava essas iniciativas imperialistas ao mesmo tempo que era condicionado pelas estratégias e apologéticas do imperialismo".[96] O próprio encarceramento em massa no Brasil é influenciado por políticas punitivistas importadas e que colaboram com o disciplinamento dos trabalhadores ao mesmo tempo que as raízes da criminalidade não são combatidas.[97]

Tantos fatores compõem a totalidade do desafio que encontramos. Embora alguns elementos sejam sistêmicos e outros sejam mais pontuais, eles se relacionam como se fossem doenças, seus sintomas e suas condições agravantes. Isso significa que é preciso tratar os problemas de forma interligada e fazer o mesmo na hora de pautar alternativas. O importante é lembrar que o que desejamos no lugar, como totalidade de um mundo transformado, não deve ser simplesmente a negação de tudo que apresentei neste capítulo, mas sua superação em uma dinâmica que é nova, mas construída a partir de onde estamos hoje.

---

96. Angela Davis, *Women, Race and Class* (Nova York: Vintage Books, 1983).

97. Angela Davis e Gina Dent, "A prisão como fronteira: Uma Conversa sobre gênero, globalização e punição", *Revista Estudos Feministas* 11, nº 2 (2003): 526.

QUARTO CAPÍTULO

O mundo como poderia ser

*"É do conhecimento das condições autênticas
de nossa vida que é preciso tirar a força
de viver e razões para agir."*
Simone de Beauvoir[98]

Nosso exercício de observação do mundo deve levar à reflexão e à prática. A práxis que discuti alguns capítulos atrás precisa estar vinculada a uma visão de mundo transformadora; caso contrário, não passará de mera "ação informada". Para a práxis, precisamos compreender como qual seria um mundo alternativo e avaliar as condições materiais que precisamos construir para executar essa mudança. Ambas as partes desse processo são difíceis, pois se encontram interligadas. Como a práxis é a unidade dialética entre teoria e prática, isso significa que nosso exercício de imaginar um mundo diferente será constantemente influenciado por novas mudanças na forma de agir e organizar a luta por transformação. Por sua vez, essa organização da luta será novamente influenciada pelos novos desenvolvimentos teóricos.

É preciso enfatizar isso porque a explicação de conceitos sobre o que queremos não é imutável. Há uma base comum para o que entendemos como socialismo, por exemplo, mas a ideia do socialismo antes da descoberta das mudanças climáticas já é

---

98. Simone Beauvoir, *Por uma moral da ambiguidade* (Rio de Janeiro: Editora Nova Fronteira, 2005), 15.

diferente da discussão sobre socialismo no século 21. Ao mesmo tempo, a luta feminista em partes da Europa se desenvolveu de forma diferente da ocorrida no Brasil. Considerando essas diferenças e o fato de que os debates deste capítulo poderiam compor um livro em si, o objetivo aqui é apresentar algumas noções básicas, sob o entendimento de que trabalharei um pouco mais sobre isso depois e, principalmente, de que você também é corresponsável pela construção dessas definições se de fato quiser mudar o mundo.

IDEIAS PARA UM MUNDO DIFERENTE

A insatisfação em relação ao sistema capitalista às vezes surge com diferentes perspectivas. É possível que uma pessoa esteja insatisfeita, mas não veja saída – nesse caso, trata-se de um fatalismo, uma visão baseada na antecipação de derrota, em que não há nada mais a fazer. Há também quem considere um caminho de reforma do sistema. Por sua vez, quem pensa em transformar a realidade radicalmente e se coloca como anticapitalista, em termos de propostas, considera uma perspectiva *pós-capitalista*.

O pós-capitalismo pode se manifestar em sistemas variados. As discussões de maior destaque como alternativa ao capitalismo estão nas perspectivas anarquista ou socialista/comunismo marxista.[99]

Existem algumas vertentes do **anarquismo** que divergem entre si, e há bastante debate sobre as perspectivas marxistas e

---

[99]. Como o anarquismo não possui texto fundador, a terminologia costuma variar de acordo com o contexto de desenvolvimento do debate anarquista. Geralmente, ao ouvir sobre "socialismo libertário" ou "comunismo libertário", esses termos também se referem ao anarquismo. Todavia, a concepção de libertário opera em algumas vertentes do socialismo marxista. Caso ouça o qualificante "libertário" no contexto de direita, saiba que possui significado distinto, pois se baseia não na concepção de emancipação que circula no anarquismo e no marxismo, mas em liberdades econômicas atreladas à propriedade privada.

anarquistas que escapam o escopo deste livro.[100] Como marxista, tenho minhas posições sobre essas discussões e sobre em que ponte marxistas deveriam aprender com as críticas, e vice-versa. Já foi exposto que proposta sobre diagnóstico e mudança de mundo é marxista, mas creio ser importante incluir uma explicação sobre anarquismo, por sua relevância na luta por uma sociedade pós-capitalista.

A palavra "anarquia" tem origem na concepção de não governo ou não autoridade, mas o anarquismo não se reduz a isso. Trata-se de uma perspectiva política que se manifesta dentro de um desenvolvimento histórico e vai além da negação do sistema atual (anti) para pautar uma sociedade alternativa (pró). Existe uma vulgarização de que o anarquismo significa ser contra o Estado e só. Fato é que a tradição anarquista oferece críticas ferrenhas ao Estado e que muitas das discordâncias com marxistas se dão devido ao engajamento tático dos últimos com o Estado, visando a uma fase de transição em que o Estado permanece antes do comunismo – mesmo transformado, na perspectiva da democracia do proletariado. Todavia, é errado reduzir o anarquismo a essa definição simplista, negando contexto e conteúdo do anarquismo que se baseiam na não dominação. É por isso que essa vertente em nada se assemelha a um "anarcocapitalismo", que desvirtua o "anarco" como mera oposição ao Estado enquanto defende a dominação via propriedade privada. Portanto, o anarquismo em nada se assemelha com a postura dos "anarcocapitalistas".

A perspectiva anarquista se desenvolve a partir da crítica ao sistema de dominação como um todo e, por consequência, também à exploração capitalista, tendo como objetivo a emancipação dos seres humanos (e mesmo dos animais) em relação a tal estrutura. No trecho a seguir, Rafael Viana da Silva ajuda a situar esse contexto histórico e localizar no debate com marxistas:

---

100. Agradeço à Sandra Guimarães a leitura e os comentários referentes a esse trecho do livro sobre anarquismo.

O anarquismo é a ala libertária do socialismo que surgiu das discussões e reflexões coletivas da classe trabalhadora. As divergências sobre quais seriam as melhores estratégias para conduzir os trabalhadores a uma sociedade sem classes acabaram por conformar a própria tradição anarquista e definir também as diferenças dessa tradição com outros campos do socialismo, como o marxismo.[101]

O anarquismo apresenta uma concepção revolucionária de transformação social, buscando "derrubar o capitalismo e o Estado, acabar com as classes sociais e com a dominação nas diferentes esferas e estabelecer um sistema de autogestão, chamado historicamente pelos anarquistas de socialismo libertário, comunismo libertário, anarquia entre outras expressões semelhantes".[102]

Bakunin, um dos maiores proponentes do anarquismo, uma vez se descreveu como "amante fanático da liberdade" – vale dizer que sua oposição ao Estado também se dá pela mediação (e pela supressão) da liberdade que ocorre por meio das instituições estatais.[103] Por isso, na perspectiva anarquista, a sociedade deve ser transformada com foco prioritário em práticas de autogestão, ao ponto de a crítica da dominação se estender também à ideia de um Estado de transição. Na concepção anarquista, a liberdade é requisito para uma sociedade de fato justa e voltada para a igualdade, sendo impossível atingir tais objetivos sob uma estrutura tão imponente como o Estado.

Para anarquistas, uma fase transitória com a presença do Estado, embora pautado pela classe trabalhadora, implicaria

---

101. Rafael Viana da Silva, "Anarquismo: Uma introdução ideológica e histórica", Federação Anarquista do Rio de Janeiro – Organização Integrante da Coordenação Anarquista Brasileira, acesso em 20 de junho de 2020, https://anarquismorj.wordpress.com/textos-e-documentos/teoria-e-debate/anarquismo-introducao-historica-rafael-v-da-silva/.

102. Felipe Corrêa, *Bandeira negra rediscutindo o anarquismo* (Curitiba: Editora Prismas, 2015), 165.

103. Noam Chomsky, *On Anarchism* (Londres: Penguin Books, 2013), 7.

a burocratização e o fortalecimento estatal a ponto de não ser possível aboli-lo, o que impediria a realização comunista. Já na visão marxista, o socialismo com a presença de um Estado socialista, via democracia do proletariado, é uma fase necessária para a reorganização da produção e da vida política, até que a autonomia trabalhadora se torne o novo normal e o Estado deixe de ser necessário. Para que essa diferenciação faça sentido, é preciso discutir sobre socialismo e comunismo, em especial nos termos da construção alternativa que defendo.

A perspectiva marxista aponta que a alternativa pós-capitalista é o comunismo, que, por sua vez, não se alcança de imediato. É preciso necessariamente passar por uma fase de transição, o *socialismo*, que é um sistema baseado na socialização dos meios de produção/propriedade privada, na supressão das diferenças de classes (a classe trabalhadora como maioria e regra), no uso do Estado por trabalhadores para a gestão pública e no desenvolvimento do poder popular por meio de medidas e espaços de formação e decisão política (coletivos, comunas, assembleias, sovietes, conselhos etc.). Nas palavras de Ruy Mauro Marini:

> O socialismo pode ser entendido como o período de transição para uma nova era histórica e se caracteriza pela superação da propriedade privada em favor de uma nova forma de propriedade individual, baseada na socialização dos meios de produção. Ele corresponde, no plano político, a uma democracia ampliada e participativa, dirigida à imensa maioria da sociedade.[104]

A socialização dos meios de produção consiste em expropriação, o que Marx discutia como "expropriação dos expropriadores".[105] A crítica ao capitalismo está presente nessa afirmação a

---

104. Ruy Mauro Marini, "Duas notas sobre o socialismo", *Lutas Sociais*, n. 5 (1998): 112.

105. Marx, *Capital: Volume I*.

partir da compreensão de que a exploração da força de trabalho por parte dos capitalistas, que ocorre ao mesmo tempo que a natureza e seus bens são apropriados, é a primeira expropriação de valor. Dessa forma, quando trabalhadores tomam fábricas e demais meios de produção, trata-se de um processo de reparação.

A socialização pode ser imediata ou gradativa. Sociedades em transição para o socialismo trabalham, às vezes, com socialização parcial na forma de estatizações ou gestão cooperada de trabalhadores. Na socialização, aquele meio de produção que antes era propriedade privada e proporcionava ao dono a possibilidade de explorar trabalho e natureza para lucro passa a ser utilizado diretamente pelos trabalhadores, como produtores associados, ou indiretamente, via Estado socialista/ampliado. O valor passa a ser alocado na fonte em vez de ser apropriado pelo capitalista, que, em retorno, apenas remunera o socialmente necessário para os trabalhadores. A compensação para a classe trabalhadora se dá de acordo com o valor gerado pelo trabalho, sem a dedução dos lucros exorbitantes da classe burguesa.

Nesse período de transição, o Estado muda de caráter. Seu papel não é mais gerir o capital, e sim o modo de produção socialista e as necessidades da população. Há debates variados no marxismo sobre como o Estado deve ser gerido – e isso atravessa tanto a perspectiva de planejamento central da produção de longo prazo quanto propostas de gestão descentralizada. No ecossocialismo (já vamos abordar sua definição), o planejamento econômico dos principais fatores de produção, como a matriz energética e a produção de grãos, seria mais concentrado, enquanto questões cotidianas em nível micro passariam por autogestão. Ambos os níveis estariam sujeitos a controles democráticos de transparência, questionamento, consulta e participação.[106]

---

106. Michael Löwy, "Ecosocialism and Democratic Planning", *Socialist Register*, nº c (2015): 6.

Um papel essencial do Estado é também garantir que se torne cada vez mais obsoleto, irrelevante, necessário para o funcionamento da sociedade. Quando marxistas falam da *abolição do Estado*, ou de seu desaparecimento, é a isso que nos referimos, pois o Estado não pode decretar seu próprio fim. Afinal, a validade do decreto estatal dependeria da permanência do poder estatal. Rosa Luxemburgo já avisava que o socialismo não poderia "ser feito por decretos, nem mesmo de um governo socialista, por mais perfeito que seja".[107] Tampouco o comunismo.

Sobre a importância de construir as condições para a abolição do Estado desde o processo revolucionário, Mészáros também comenta que é preciso evitar um processo de burocratização, que é danoso da perspectiva democrática, mas também da própria perspectiva do avanço ao comunismo. Afinal, um Estado socialista que supera o capitalismo, mas mantém sua organização do trabalho, das forças produtivas e dos recursos de produção dentro da lógica do capital, torna-se, ele mesmo, um obstáculo para o comunismo:

> Enquanto as funções controladoras vitais do sociometabolismo não forem efetivamente ocupadas e exercidas autonomamente pelos produtores associados, mas deixadas à autoridade de um pessoal de controle separado (ou seja, um novo tipo de personificação do capital), o próprio trabalho continuará a reproduzir o poder do capital contra si mesmo, mantendo materialmente e dessa forma estendendo a dominação da riqueza alienada sobre a sociedade.[108]

Nota-se o valor da discussão da democracia socialista, até mesmo o que se entende por ditadura do proletariado. Florestan Fernandes explica que

---

107. Rosa Luxemburgo, *Rosa Luxemburgo: Textos escolhidos - Volume 2 (1914-1919)*, ed. Isabel Loureiro (São Paulo: Editora Unesp, 2011), 360.

108. István Mészáros, *Para além do capital* (São Paulo: Boitempo Editorial, 2002).

o que se chamou de ditadura do proletariado era o equivalente do que se chamava de ditadura da burguesia. Não que se negasse à existência de uma democracia burguesa: é que a democracia que viria com essa ditadura desse proletariado seria uma democracia da maioria. E, através de várias transformações, isso acabaria criando as condições para uma transição para o comunismo...[109]

A democracia dentro de uma concepção socialista consiste, portanto, não somente em representação da maioria, mas em poder para a maioria por meio do confronto com a estrutura de dominação capitalista. Passa a ser democracia para além do voto. Por isso mesmo, ao ler algo sobre "ditadura do proletariado", vale a pena voltar a essa discussão e contextualizar como "democracia do proletariado".

Essa visão exige atenção constante, por isso cabe sempre levantar a crítica e a posição de Rosa Luxemburgo sobre a exigência da democracia para a constituição do socialismo. Não basta um partido forte para gerar o socialismo, é preciso que o processo de construção da revolução conte com participação ativa e energética do povo, com liberdades democráticas em sua vida política.[110] Como apresentado por Isabel Loureiro,

> a ação livre das massas é, por um lado, pré-condição da democracia socialista – o oposto da dominação de um único partido que, para ela, conduzirá inevitavelmente à burocratização e ao estiolamento da vida pública, inclusive nos sovietes. Por outro, a única possibilidade de uma vida emancipada.[111]

---

109. Florestan Fernandes, *Florestan Fernandes - Leituras & legados* (São Paulo: Global Editora, 2012).

110. Isabel Loureiro, "Democracia e socialismo em Rosa Luxemburgo", *Crítica Marxista*, nº 4 (1997): 52.

111. Loureiro, 52.

O único caminho é o fomento de condições para que a sociedade consiga se autogerir por diversas redes e instâncias de decisão, o que implicaria também a obsolescência de fronteiras.

Isso não significa o apagamento de identidades étnicas, culturais e de comunidade nacional. Ao contrário, apenas aponta que a perspectiva internacionalista do socialismo rumo ao comunismo, tão evidente na impossibilidade de desvincular o trabalho e o ecossistema em um lugar do trabalho e o ecossistema em outro lugar, reforça que o papel das fronteiras até hoje foi assegurar formas de controle de recursos para o capital por meio das várias dinâmicas de Estado. O *internacionalismo* não é somente um princípio a ser valorizado, mas uma condição para a realização da transformação do mundo ao reconhecer que os processos de dominação estão interligados.

Com o desenvolvimento da sociedade socialista, na supressão da propriedade privada dos meios de produção – e não a propriedade pessoal adquirida como fruto do trabalho –, e com o desaparecimento do Estado, chega-se ao *comunismo*. Para Marx e Engels, a sociedade comunista é aquela em que "o livre desenvolvimento de cada um é a condição para o livre desenvolvimento de todos".[112]

Mostra-se importante compreender que não se trata se passar do capitalismo para o socialismo e do socialismo para o comunismo. Não é um processo mecânico nem pré-determinado. Sim, o capitalismo é um sistema que carrega enormes contradições, mas também tem desenvolvido ferramentas para normalizar sua aceitação (ou ao menos certo conformismo com sua existência) e dificultar sua superação.

Dentro do socialismo marxista, existem ao menos dois debates sobre como ultrapassar o capitalismo: um caminho via reforma e outro via revolução.

Em perspectivas gerais, o caminho *reformista* pretende se utilizar do Estado e, ao mesmo tempo, de oportunidades de auto-

---

112. Marx e Engels, *Manifesto do Partido Comunista*, 52.

gestão para realizar reformas na forma da propriedade – principalmente aquelas legais, como reforma agrária, reforma urbana, reforma legislativa, etc. – a fim de criar condições mais favoráveis para a organização de trabalhadores e, assim, fomentar a consciência de classe que demandará poder popular e Estado socialista. Esse caminho erra por não compreender como cooperativas geram vantagens para seus trabalhadores, mas ainda estão sujeitas às regras do empreendedorismo capitalista, ou como reformas legais são limitadas pelos objetivos do Estado capitalista.

Reformistas não são apenas contra a revolução, mas falham no objetivo de chegar ao socialismo, como deixa claro Rosa Luxemburgo:

> Quem, portanto, se manifesta pelo caminho da reforma legal *em vez de* e *em oposição* à conquista do poder político e à transformação da sociedade escolhe, de fato, não um caminho mais calmo, seguro e vagaroso para um *mesmo* fim, mas também um *outro* fim, a saber, em vez da realização de uma nova ordem social, opta apenas por mudanças quantitativas na antiga.[113]

O caminho *revolucionário* não nega a importância de reformas e entende que elas podem ser fontes valiosas de sobrevivência do povo trabalhador, organização de classe e estímulo à consciência de classe. Simultaneamente, entende que reformas graduais são incapazes de gerar uma ruptura com o sistema, já que não implicam a conquista do poder político – para além de seu formato legal-institucional – e porque tentativas reformistas estão vulneráveis à burguesia, que segue com seu poder econômico durante o processo.

O socialismo marxista é um socialismo científico e não utópico; ou seja, não consiste em simplesmente desejar o socialismo, mas em desenvolver método para alcançá-lo. O método, como você já sabe, é baseado no materialismo histórico e dialé-

---

113. Luxemburgo, *Rosa Luxemburgo: Textos escolhidos - Volume 1 (1899-1914)*, 69.

tico, na construção das condições necessárias. A organização de classe e a consciência de classe são elementos centrais nesse processo; além disso, é preciso avaliar as condições de desenvolvimento produtivo da sociedade. Para chegar ao socialismo, é preciso construí-lo. Como explica Kwame Nkrumah, é necessária "a elaboração de políticas voltadas para os objetivos socialistas gerais, cada uma das quais demandando uma forma particular nas circunstâncias específicas".[114]

A superação do capitalismo dependente, por exemplo, torna-se um desafio especial nesse contexto. É necessário mudar o sistema, mas não pode haver ingenuidade sobre os desafios encontrados para garantir o nível de produção necessário e justo para a sociedade ao mesmo tempo que se enfrenta o contra-ataque da classe dominante a ser expropriada.

Ademais, é preciso garantir que o Estado socialista cumpra um papel realmente de transição e que não se torne um fim em si mesmo, pois isso impediria sua abolição. Isso passa, sim, em partes, por buscar metodologias de gestão que impeçam a formação de uma classe burocrata consolidada no partido e no governo. De certa forma, significa que o planejamento e a construção de um processo revolucionário precisa antever problemas futuros, precisamente para evitá-los, e pautar já hoje o máximo possível que gostaríamos de ver na sociedade almejada. Nas palavras de Mészáros, "o ato de libertação não pode ser separado do processo de libertação".[115]

Com certeza não será possível viver hoje exatamente de acordo com a sociedade futura, pois, se isso fosse possível, significaria que já teríamos estabelecido tal sociedade. As estruturas atuais que queremos derrubar nos impedem de viver como almejamos, e essa é uma contradição imposta pela estrutura. A

---

114. Kwame Nkrumah, "O socialismo africano revisitado", in *Revolução africana: Uma antologia do pensamento marxista*, ed. Jones Manoel e Gabriel Landi Fazzio (São Paulo: Autonomia Literária, 2019), 114.

115. Mészáros, *Para além do capital*.

única forma de superar essa contradição é com combate estrutural – o que não pode ser feito individualmente.

De certa forma, como o socialismo e o comunismo são etapas posteriores ao capitalismo, não é estranho, e sim esperado, que grupos pautados pelo anticapitalismo sejam anticapitalistas em sua construção política enquanto vivem sob o capitalismo, mesmo que não seja possível viver inteiramente assim em sua prática individual. É por causa do sistema vigente que desejam superá-lo.

Esse desejo é movido por *utopia*. Aqui considero importante falar de utopia, porque é muito comum ouvir que um desejo de mudança radical é "utópico", como se fosse algo "idealista" ou "impossível".

Em primeiro lugar, deve-se mencionar que não faz sentido classificar uma perspectiva socialista marxista como idealista, justamente porque o materialismo histórico e dialético é uma oposição ao idealismo. Não somos como os socialistas utópicos a quem Marx e Engels criticavam por falta de método; somos socialistas científicos, com método, inspirados e movidos por uma utopia.

Existe essa ideia de que utopia é algo perfeito e, portanto, inalcançável – afinal, a sociedade nunca será perfeita. No entanto, nosso objetivo não é uma sociedade perfeita. Se alguém diz que o comunismo é uma sociedade perfeita, essa pessoa está errada (e você deve alertá-la para isso!). O comunismo deve ser um sistema social melhorado, mais avançado, pautado pela emancipação a partir do fim da divisão, da diferença e da desigualdade de classes. No comunismo, ninguém poderá utilizar de propriedade privada para enriquecer com base na exploração dos outros. Não é o fim das diferenças individuais (então esqueça esse papo de cortes de cabelo todos iguais!) nem vai tornar todo mundo amigável, sempre feliz, sempre generoso e sempre honesto.

Às vezes, quando as pessoas começam a me apontar a impossibilidade de comunismo com descrições assim, pergunto-me se, na verdade, elas não estão confundindo com a ideia de um "céu", de um paraíso divino. Pois o comunismo não é isso, e a utopia que comunistas têm não passa por pessoas perfeitas nem pelo fim absoluto do egoísmo.

Atitudes e valores humanos não existem em vácuo, mas são moldados por várias situações. Podemos pensar como pessoas em situação de fome podem se comportar de forma diferente daquelas que têm alimentação assegurada. As condições materiais afetam como agimos, e nossas ações podem reforçar estruturas ou, coletivamente, combatê-las.

Penso, então, que, no caso do comunismo, uma sociedade sem classes retirará muito do incentivo para oprimir, já que a possibilidade material de oprimir será limitada. Mas não eliminará todos os problemas. É por isso que o debate sempre passará também por valores, educação, cultura, coesão social e muito mais. Lembram o que falei no começo sobre resolver os problemas de hoje para criar novos problemas (ou ao menos focar outros)? É por aí. É sobre chegar a uma utopia e, então, viver seu fim, para que outras utopias tomem lugar.

É por isso que utopia não tem a ver com certo paraíso, mas com algo que não existe hoje porque ainda não há lugar para isso na sociedade. O objetivo é criar esse lugar. O anticapitalismo faz parte disso, porque o capitalismo ocupa o lugar da realidade que queremos tomar. Não dá para simplesmente dispor o capitalismo de lá e o socialismo de cá, pois nossa sociedade humana é integrada, os ecossistemas também, e os recursos são distribuídos de forma diferenciada no planeta. O debate do sistema é de totalidade, então um precisa ser superado para dar espaço ao outro. Como coloca Herbert Marcuse, a utopia só é impossível por fatores objetivos e subjetivos, mas a ausência dos fatores que a tornariam possível não deve decretar que ela nunca poderá ser realidade.[116] O trabalho é justamente de gerar outros fatores e, por consequência, essa possibilidade.

---

116. Herbert Marcuse, *Five Lectures: Psychoanalysis, Politics, and Utopia* (Londres: Allen Lane The Penguin Press, 1970), 63.

Além do anticapitalismo, é preciso nutrir vários campos de luta nesse trabalho. Se o objetivo é uma sociedade de fato emancipada, não bastará mudar a forma de propriedade dos meios de produção. É preciso combater todas as formas de opressão.

Marxistas que propõem que as lutas feminista, antirracista, LGBT, por autodeterminação nacional, contra a xenofobia, contra a discriminação capacitista e contra as opressões em geral não pertencem à construção do comunismo são militantes que deveriam se questionar sobre sua própria concepção do que vem a ser o marxismo.

Se Mészáros propõe que o ato de libertação e o processo de libertação estão interligados, ideias relacionadas a deixar a luta das mulheres, por exemplo, para depois falham em compreender que a possibilidade para esse depois é construída hoje – e essa é uma concepção materialista histórica e dialética. O compromisso antiopressão deve ser princípio básico de todo aquele que se coloca a favor da liberdade.

Aqui vale mencionar algumas características propositivas das lutas antiopressão. Nenhuma delas ocorre isolada das outras, pois pessoas têm identidades diversas ao mesmo tempo. Um homem branco cisgênero heterossexual não é homem em um caso, branco em outro, e assim por diante. A posição de um sujeito na sociedade é informada por todas essas partes ao mesmo tempo, e alguém que tem agência em uma estrutura para oprimir pode ser alvo de opressão em outra.

A ênfase que acrescento é que classe é um fator fundamental aqui, apesar de haver vertentes de todas essas lutas que tentam reduzir a questão à afirmação da identidade, descolando da relação com o capitalismo a produção do machismo, do racismo e da LGBTQIA+fobia.

O *feminismo* se opõe ao machismo, mas não é o oposto do machismo no sentido vulgarmente propagado por antifeministas como "dominação dos homens por mulheres". O objetivo do feminismo não é dominar homens, mas emancipar mulheres da opressão de gênero.

As feministas concordam em combater a violência contra a mulher, por direitos sobre seu próprio corpo, pelo fim da discriminação no trabalho e em espaços públicos, mas nem todas concordam sobre como fazer isso e sobre qual é a raiz do problema. Enquanto a vertente do feminismo liberal defende uma lógica de mais oportunidades dentro da estrutura capitalista, com argumento, por exemplo, por mais mulheres na direção de grandes corporações, o feminismo marxista entende não haver emancipação das mulheres se algumas no "topo" seguirem explorando a maioria na base. Essas vertentes são incompatíveis entre si quando se avaliam o diagnóstico da realidade e o projeto político.

Em contraponto ao feminismo liberal, o feminismo marxista trata a questão da reprodução social a sério. Não é sobre combater homens, mesmo que se combata a violência machista por eles cometida, mas de eliminar as formas de arranjo socioeconômico que viabilizam que homens tenham o poder para cometer violência se assim desejarem. A fonte da opressão não está em uma maldade característica a homens ou que pode ser reduzida ao interesse patriarcal em órgãos reprodutivos, mas nas funções determinadas de acordo com o gênero. Hoje, essas funções atravessam diretamente a estrutura capitalista – e isso determina que tipo de feminismo será eficaz. Como escreve Talíria Petrone, "o feminismo que nos interessa é o feminismo compromissado com o direito à vida, com o bem viver, com a liberdade caracterizada pela responsabilidade com o outro e com a natureza. Porque nem todo feminismo serve a todas as mulheres, à humanidade, ao planeta".[117]

O feminismo compromissado com a vida, como coloca Petrone, deve apresentar as vozes, experiências e saberes de mulheres em sua diversidade. Um feminismo que exclui traba-

---

117. Talíria Petrone em Arruzza, Bhattacharya e Fraser, *Feminismo para os 99%: Um manifesto*, 20.

lhadoras exclui a maioria das mulheres. Um feminismo que exclui negras é racista. Um feminismo que exclui mulheres trans a partir de uma visão voltada para negar o gênero em vez de expandi-lo é uma vertente transexcludente (e pode chegar a se manifestar abertamente transfóbico).

O feminismo negro destacadamente contribui para balançar as bases do feminismo e tem enfatizado o papel desses saberes na formação de um feminismo transformador. Patricia Hill Collins se refere ao conjunto do pensamento do feminismo negro como epistemologia, isto é, um conjunto de conhecimentos e interesses sobre o mundo. Já a interseccionalidade entre as posições de um sujeito na sociedade, que informa como opressões se cruzam, ou a consubstancialidade, que olha para como opressões se sobrepõem, se enquadram no que Hill Collins chama de "paradigma" (e a que eu me refiro como metodologia de compreensão da dialética de opressão), pois são "referenciais interpretativos".[118] Enquanto isso, há também os métodos práticos de pesquisa para levantar informações sobre essa realidade, os quais podem ser chamados de metodologia, mas com foco em princípios de pesquisa.[119]

Para construir uma alternativa de mundo socialista, é necessário que, como vertente, o feminismo marxista seja também negro, trans, indígena, lésbico, bissexual, acessível e inclusivo e da classe trabalhadora, pois, ao representar somente uma mulher cisgênero branca heterossexual de classe média, será excludente e não contemplará a totalidade da luta. Por isso, Bárbara Araújo Machado defende que a interseccionalida-

---

118. Patricia Hill Collins, *Pensamento feminista negro* (São Paulo: Boitempo Editorial, 2019), n.p.

119. Cinzia Arruzza discute também como o feminismo marxista é capaz de desenvolver uma teoria unitária sobre a opressão, a partir do entendimento dialético, de modo a incorporar o paradigma/metodologia diretamente na visão de mundo sobre opressão e emancipação da mulher. Trata-se de uma discussão mais complexa sobre teoria feminista, mas, caso interesse, recomendo a leitura de Arruzza, "Considerações sobre gênero: Reabrindo o debate sobre patriarcado e/ou capitalismo".

de opere como mais que uma forma de localizar o encontro entre opressões, opere para entender como elas se relacionam.[120] A interpretação desse "como" é tarefa do materialismo histórico no feminismo marxista.

Ou seja, é preciso um feminismo que adapta seus espaços para a inclusão de mães trabalhadoras e pauta a criação de filhos para além dos limites da residência privada e da responsabilidade dessas mães. Um feminismo que considera as diferentes capacidades de mulheres e suas posições diversas nos espaços urbano, rural e da floresta.

A questão da totalidade é fundamental para evitar que se pense que feministas devem se importar apenas com assuntos de gênero, como se pudessem existir isoladamente dos outros fatores.

Existe uma confusão sobre auto-organização e foco de uma luta que é bem comum. Embora faça sentido que sejam as mulheres a estar à frente do feminismo – afinal, é uma luta de autoemancipação –, não significa que uma feminista só deve se preocupar com algo quando o assunto é estritamente sobre mulheres cis e trans ou que homens não devam aprender sobre o feminismo. Esse separatismo desconsidera a interligação das estruturas, e é por isso que feministas marxistas, no caso, nunca são apenas feministas estritas e focadas somente no gênero. Por saberem que é impossível focar somente no gênero, usam da luta das mulheres para articular a emancipação de forma ampla.

Angela Davis é uma das principais referências a demonstrar a importância dessa articulação ampla por meio do feminismo negro dentro da perspectiva comunista e abolicionista das prisões e do sistema punitivo – ou seja, em desafio ao monopólio da violência por parte do Estado. Em sua análise, ela argumenta que a forma como pessoas trans desafiam o

---

120. Bárbara Araújo Machado, "Interseccionalidade, consubstancialidade e marxismo: Debates teóricos e políticos", in *Anais do Colóquio Internacional Marx e o Marxismo* (Núcleo Interdisciplinar de Estudos e Pesquisas sobre Marx e o Marxismo (NIEP-Marx), 2017), 15.

que é entendido por normalidade quanto ao gênero (a visão binária) deveria ser referência para muitas outras lutas, como no desafio de questionar a normalidade das prisões na sociedade a fim de abolir – mudar as condições para superar – o sistema de encarceramento.[121]

> O feminismo envolve muito mais que a igualdade de gênero. E envolve muito mais que gênero. O feminismo deve envolver a consciência em relação ao capitalismo – quer dizer, o feminismo a que me associo. E há múltiplos feminismos, certo? Ele deve envolver uma consciência em relação ao capitalismo, ao racismo, ao colonialismo, às pós-colonialidades, às capacidades físicas, a mais gêneros do que imaginamos, a mais sexualidades do que pensamos poder nomear.[122]

Aqui vale destacar a importância da luta antirracista no feminismo negro e além. Se o racismo é um pilar fundamental da sociedade capitalista hoje, qualquer visão alternativa pautada em liberdade deve, necessariamente, ser antirracista. O antirracismo não pode ser apenas denúncia; ele precisa passar pela prática para ter real impacto na sociedade.[123]

A luta antirracista é uma luta por libertação e, se o racismo é estrutural, o antirracismo também deve ser. Isso significa atenção para a dialética entre agência e estrutura, para que indivíduos que se beneficiam estruturalmente do racismo se atentem e não pratiquem atitudes racistas.[124] Como no feminismo, há vertentes de projetos políticos e distintas posições ideológicas no antirracismo que disputam o direcionamento do movimento hoje.

---

121. Davis, *A liberdade é uma luta constante*, 100.

122. Davis, 99.

123. Almeida, *O que é racismo estrutural?*, 40.

124. Almeida, 39.

Apesar do pensamento marxista ter surgido no contexto europeu, o materialismo histórico e dialético é uma perspectiva universal, e sua atenção à materialidade possibilita que pensadores e militantes ao redor do mundo pratiquem o marxismo em diversos contextos. Dentro desse entendimento, Jones Manoel explica que, apesar de haver marxistas eurocêntricos que desmereçam a importância da articulação da luta antirracista na luta socialista, isso não diz respeito ao marxismo em si.[125] Além disso, tende a negar as importantes contribuições do movimento negro comunista tanto em países desenvolvidos quanto em países periféricos.

Huey P. Newton, liderança do Partido dos Panteras Negras, partido negro e comunista, nos Estados Unidos, é uma das grandes referências para a construção do antirracismo como pauta socialista, e vice-versa, especialmente no reconhecimento que faz da ligação entre os males do racismo e do capitalismo.[126] São várias as lideranças e intelectuais antirracistas que concluem a necessidade de pautar o enfrentamento contra o racismo e o capitalismo como um só, de Frantz Fanon a Angela Davis – e a Clóvis Moura, que destaca que o racismo brasileiro "tem causas econômicas, sociais, históricas e ideológicas que alimentam seu dinamismo atual".[127]

Cabe, então, a observação de que, se o racismo se manifesta dentro de particularidades em cada contexto nacional, a luta antirracista também, provavelmente, se articulará de formas distintas ao redor do mundo. Isso faz com que o antirracismo abarque a luta de diversos povos racializados e dis-

---

125. Jones Manoel, "A luta de classes pela memória: raça, classe e revolução africana", in *Revolução africana: uma antologia do pensamento marxista* (São Paulo: Autonomia Literária, 2019), 31.

126. Huey Newton, "Huey Newton fala ao The Movement sobre o Partido dos Panteras Negras", Nova Cultura, 1968, https://www.novacultura.info/single-post/2017/05/08/Huey-Newton-fala-ao-The-Movement-sobre-o-Partido-dos-Panteras-Negras.

127. Moura, *Sociologia do negro brasileiro*, 32.

criminados dentro de seu contexto histórico e político. Aqui entra a luta da população negra, de ciganos, de indígenas, de diásporas diversas, fora e até mesmo dentro de seu território, como no caso do povo palestino, que ainda hoje é submetido à colonização.

Um fator muito importante é o papel do internacionalismo nesse desenvolvimento e articulações entre grupos variados. Angela Davis, por exemplo, atribui ao internacionalismo comunista e da luta de libertação negra papel fundamental em seu próprio desenvolvimento militante, que a levou a se articular em solidariedade ao povo palestino, inclusive na campanha palestina de Boicote, Desinvestimento e Sanções (BDS).[128]

Na concepção fanoniana, o antirracismo não apenas tem que combater o racismo, como deve contribuir para uma sociedade em que não seja mais possível edificar estruturas de opressão racial. Como? Deivison Nkosi explica:

> Em Fanon, o *ser humano* é, antes de tudo, *um ser que questiona*, aberto à contingência histórica que precede a qualquer essência fixa. [...] O que interessa, portanto, não é provar que o *negro* é igual ao *branco*, mas libertar ambos dos complexos coloniais que os forjaram, libertando o branco de sua *brancura* e o negro de sua *negrura*, desfazendo, assim, o *duplo narcisismo* colonial.[129]

Trata-se de humanismo como proposta radical, não como falsa pretensão, para apagar as desigualdades sociais. É muito diferente de quem sai por aí falando que não existem raças e que todo mundo é humano e igual a fim de argumentar que não há racismo. Quando dizem isso, essas pessoas não estão construin-

---

128. Angela Davis em *Futures of Black Radicalism* (Londres: Verso, 2017).

129. Deivison Mendes Faustino, "'Por que Fanon? Por que agora?': Frantz Fanon e os fanonismos no Brasil", *Tese de Doutorado* (Universidade Federal de São Carlos, 2015), 85.

do a síntese humanista que Fanon sugere para que não brancos também componham o sentido do universal, são apenas negacionistas do racismo real enfrentado na sociedade.

Diferenças entre as pessoas, como a cor da pele, sempre existiram na história humana. Todavia, quando são transformadas em ferramentas sociopolíticas para legitimar dominação e exploração, uma estrutura de diferença racial emerge. Isso significa que, mesmo que não haja inferioridade racial, a estrutura vigente impõe superioridade racial na base de exclusão, discriminação, violência e exploração. Negar isso não promove igualdade, isso colabora com o apagamento das denúncias e da luta por igualdade.

A posição de Fanon é justamente o oposto do negacionismo do racismo. Consiste em compreender que a estrutura de supremacia branca necessita transformar características físicas e culturais de povos diversos em uma concepção racial estrita para, por meio do racismo, justificar sua própria supremacia. Por isso, para Fanon, é necessário resgatar a negritude da falsa inferioridade que lhe foi imposta a fim de, a partir daí, construir uma nova estrutura em que não seja possível discriminar e oprimir sistemicamente a partir de noções de racialização.

A desracialização que Fanon propõe é um resultado, é a síntese. Tentar pensar o mundo assim hoje não faria sentido, e ainda seria prejudicial, pois negaria que no mundo atual, o racismo é tanto que a conjuntura exige primeiro declarar, por exemplo, que todas as vidas negras importam. Não é como se todas as vidas não importassem, mas é que a violência racial é tamanha que a sociedade precisa aprender que as vidas de não brancos valem, sim, e precisam ser preservadas (e libertadas por suas próprias mãos).[130]

O antirracismo necessariamente atravessa a discussão do *abolicionismo prisional*, já que o aparato prisional e policial se

---

130. Agradeço a Jones Manoel a leitura e os comentários referentes a esse trecho do livro sobre racismo e antirracismo.

fortalece em termos históricos por meio de políticas racistas.[131] Como vimos, abolir algo não é o mesmo que proibir algo, muito pelo contrário; é um processo que exige mudanças materiais que permitam a superação da política indesejada.

Angela Davis aponta que abolir prisões não é retirar a prisão do leque de opções do sistema de segurança, é algo que passa por construir uma sociedade em que prisões não sejam necessárias, que se tornem obsoletas por causa de outros elementos introduzidos. Significa também não apoiar políticas que tratam a prisão como única solução ou principal solução de forma isolada.

> A pressão abolicionista pode e deve se dar no interior de outros movimentos progressistas e de maneira articulada com reivindicações por educação de qualidade, estratégias antirracistas de contratação, sistema de saúde gratuito. Pode ajudar a promover uma crítica ao capitalismo e movimentos em direção ao socialismo.[132]

Esse contexto informa debates sobre o "fim da polícia militar" ou "desmilitarização da polícia e da política". A proposta não trata de demitir todos os policiais amanhã. A desmilitarização da polícia militar já leva os policiais para o campo civil, mas é preciso desmilitarizar a política geral de segurança pública para que o foco sejam políticas públicas, não a lógica do "inimigo entre nós". Ou seja: desmilitarizar e ao mesmo tempo mudar condições sociais para que o papel intensivo do policial na sociedade se torne obsoleto, não mais necessário, pois cada vez menos ocorrências se tornarão "caso de polícia".

Coisas que podem parecer distantes ou impossíveis hoje não devem ser excluídas de nosso campo de visão política. Pensar

---

131. Ana Vládia Holanda Crus, "Militarização da questão social e criminalização da pobreza: o que a história nos ensina?", in *Desmilitarização da polícia e da política: uma resposta que virá das ruas* (Uberlândia: Pueblo, 2015), 35.

132. Davis, *A liberdade é uma luta constante*, 23.

em abolicionismo hoje passa, por exemplo, por não favorecer políticas de expansão prisional ou entender que simplesmente colocar câmeras em uniformes e viaturas não será suficiente. Toda tarefa relacionada à abolição é uma tarefa sobre tornar o Estado de opressão obsoleto e, para isso, desconstruir ideias que parecem ser completamente normais.

Isso se mostra muito importante quando incluímos a questão animal na conversa. Como outros movimentos, o *veganismo* também possui suas vertentes, e vou focar aquela que aqui interessa: o veganismo político, anticapitalista, popular. Prefiro falar de veganismo popular, porque a expressão já enfatiza o grupo de pessoas que queremos envolver e, assim, já indica que precisa ser um veganismo politizado e anticapitalista.

O sistema capitalista aumentou terrivelmente o nível de crueldade e a escala da exploração de animais.[133] Enquanto nos referimos ao tipo de raciocínio que exclui animais da consideração humana de cuidado e empatia como *especismo*, não é possível afirmar que basta eliminar o especismo. O materialismo histórico exige o entendimento de que a ideologia não existe separada da realidade animal, então não basta combater o especismo ou conceder direitos jurídicos aos animais, é preciso, sim, mudar as condições que permitem e naturalizam sua exploração.[134]

O antiespecismo colabora para que as pessoas compreendam que, no estágio em que nos encontramos, não é mais necessário se alimentar de animais e produtos advindos da exploração animal para sobreviver. Já se sabe que é possível se alimentar de forma sustentável, saudável e mais barata sem alimentos animais; todavia, o que o veganismo popular enfatiza – e o veganis-

---

133. No debate sobre a libertação animal, frequentemente falamos de animais humanos e animais não humanos, em especial por situar nossa espécie de volta na natureza, não para fora dela. Todavia, pelo fato de o debate que apresento ser mais introdutório, dou preferência à linguagem convencional de humanos e animais, sabendo que seres humanos também são animais.

134. Aliança pelo Marxismo e a Libertação Animal, "XVIII teses sobre marxismo e libertação animal", *Revista Latinoamericana de Estudios Críticos Animales* II, nº 178-198 (2019).

mo liberal costuma esquecer – é que o capitalismo impede que essa possibilidade seja real para todas as pessoas.

A indústria da carne e derivados nos bombardeia todos os dias com propagandas sobre seus produtos e, ao mesmo tempo, compõe a cadeia do agronegócio onde a maioria da monocultura de soja serve para alimentar animais que serão abatidos para consumo humano: o filé-mignon para quem tem maior poder de consumo e a mortadela como opção mais barata no mercado. Portanto, para contribuir com a libertação animal, é preciso trabalhar a consciência das pessoas sobre a crueldade e a imposição feita sobre os animais (ao ponto de reproduzi-los violentamente em números gigantescos) e, necessariamente, combater a indústria enquanto se criam condições para que todas as pessoas possam escolher o que comer.

Essa discussão envolve ao menos dois pontos. Um é a *reforma agrária*, necessária para o combate ao agronegócio e à insegurança alimentar no meio rural e para promover autonomia sobre o que se planta. A reforma agrária de que precisamos consiste em mais que a redistribuição de terras improdutivas dos latifundiários para os pequenos produtores. Como trabalhada pelo MST, é necessário que seja agroecológica e popular; ou seja, com recursos para a infraestrutura dos produtores, com autonomia de movimentos e produtores associados, com incentivo para a economia solidária e maior proximidade entre produtor e consumidor e pauta em cima de princípios de produção orgânica, eficiente nos recursos naturais e integrada com os biomas.[135]

Com isso, torna-se possível trabalhar com soberania alimentar, passando por outro modelo de produção de alimentos, que integra o campo com as cidades, educa sobre alimentação, garante que todas as pessoas tenham comida – boa comida, que seja nutritiva e gostosa – na mesa. A soberania alimentar é con-

---

135. Lucas Henrique Pinto, "Procesos de Ambientalización y Transición Agroecológica En El MST: Reforma Agraria Popular, Soberanía alimentaria y ecología política", *Intexto*, nº 34 (2015): 294.

dição para que o bife no prato não faça falta e se torne irrelevante, esquecido e obsoleto.

Isso, obviamente, exige uma discussão mais ampla sobre ecologia. E é aqui que entra a necessidade de falar especificamente sobre ecossocialismo.

Primeiro, é preciso pontuar que *ecossocialismo* é socialismo. Todos os eixos principais sobre socialismo que apresentei fazem parte do ecossocialismo. Ecossocialismo não é só um ambientalismo de esquerda, pois parte da compreensão especificamente marxista da realidade. Ao mesmo tempo, o ecossocialismo não é só um socialismo que se liga a pautas ambientais e a sua importância. O ecossocialismo é a síntese entre socialismo e a luta ecológica e forma a compreensão de que é impossível sustentar o socialismo sem um compromisso profundo e inseparável com a preservação do metabolismo da natureza, equilibrada com as necessidades humanas de sobrevivência e qualidade de vida.

Portanto, o ecossocialismo é uma corrente de pensamento e ação – ou seja, práxis – focada em superar a dicotomia entre humanos e natureza para promover uma síntese marxista ecológica que leve a uma estrutura emancipatória para a construção de uma sociedade global socialista.

É por isto que falamos de ecossocialismo, não de ecocomunismo: se o socialismo é uma fase transitória que precede o comunismo, o ecossocialismo já levará a um comunismo construído na síntese marxista ecológica, não haverá necessidade de diferenciar de outras propostas.

Refiro-me a outras propostas porque o marxismo é vivo, é plural, e existem projetos variados sobre como chegar à revolução e como manter os ganhos revolucionários ao mesmo tempo que se combatem esforços contrarrevolucionários. Isso significa que organizações atreladas ao marxismo-leninismo, por exemplo, apresentarão diferenças com a concepção geral de organizações ecossocialistas sobre o projeto político e seu caminho, mesmo que concordem em muitos eixos e partilhem interesses e construam espaços comuns de luta.

Em casos como esse, em que as diferenças são em concepção, não por desacordos pontuais, a busca de sínteses vai além do diálogo, envolvendo a disputa de hegemonia no campo socialista e critérios de validação de um lado ou do outro por meio da prática. A diferença se acentua quando se trata de perspectivas marxistas focadas em um caminho reformista em vez de revolucionário.[136]

É diferente de situações em que há mais de uma organização ecossocialista atuando em um país, pois aí não se trata de diferença de horizonte socialista, e sim de outros fatores, como tática e estratégia e até mesmo sintomas relacionados a uma crise maior de fragmentação da esquerda.

Tática e *estratégia* correspondem a dois planos de ação de dimensões distintas, mas interligados. A princípio, havia pouca diferenciação entre esses termos nos debates marxistas, mas com o tempo o tratamento de tática como orientação mais pontual e estratégia como orientação mais geral passou a se fazer mais presente, em especial pela analogia militar entre a batalha e a guerra, respectivamente.[137]

A estratégia corresponde ao horizonte político, enquanto a tática corresponde a momentos específicos (e mais voláteis) em que negociamos com a conjuntura sem, todavia, perder de vista o rumo estratégico. Se a tática não for alinhada com a perspecti-

---

136. Quando correntes marxistas seguem reivindicando o marxismo, mas propõem alterações profundas incompatíveis com as premissas revolucionárias do materialismo histórico e dialético, caem no erro do revisionismo. Revisar, repensar, refletir sobre a teoria é fundamental quando a teoria é viva (ou seja, não é uma doutrina a ser imposta acriticamente), mas o revisionismo promove uma negação dos fundamentos daquela teoria. Achei por bem mencionar isso para diferenciar do uso inadequado do termo "revisionismo" que às vezes é feito por marxistas como forma de isolar as correntes com as quais não concordam, simplesmente pela discordância de leitura.

137. Ricardo Prestes Pazello e Pedro Pompeo Pistelli Ferreira, "Tática e estratégia na teoria política de Lênin: aportes para uma teoria marxista do direito", *Verinotio - Revista On-Line de Filosofia e Ciências Humanas* 23, nº 2 (2017): 140.

va revolucionária, a estratégia revolucionária também falhará, já que a relação é dialética.

Um exemplo é o valor que damos a práticas de *economia solidária* que alteram a lógica padrão entre consumidor e produtor, já que aproximam as duas figuras em uma relação econômica ainda inserida no capitalismo, mas com maior preocupação com a remuneração de quem produz, com a qualidade do produto para quem compra e com o bem-estar comum. Essa relação deve ser tática, não estratégica; caso contrário, não resolve o problema geral. E a tática precisa ser revolucionária, de modo a politizar as relações de economia solidária também para que o incentivo à prática atenda às necessidades de desmercadorização, soberania alimentar, organização de trabalhadores e produtores etc.

Da mesma forma, no ecossocialismo a estratégia é revolucionária, mas se admite a importância de alianças táticas no movimento climático com não ecossocialistas a fim de garantir mobilizações e ações que visem ao combate à mudança climática.

O ecossocialismo corresponde ao marxismo revolucionário, pois entende a necessidade de romper com o sistema atual por meio da construção de organizações dos oprimidos capazes de gerar rupturas com o sistema. Ecossocialistas criticam que projetos de reformas graduais dentro do capitalismo, ainda mais na via eleitoral, são limitados e sujeitos a ser derrotados já na própria dinâmica das instituições da democracia capitalista (ou do fascismo).

Como pontua Michael Löwy, o ecossocialismo pauta tamanha ruptura a ponto de ser considerado um projeto de mudança civilizatória.[138] Trata de transformar não somente o modo de produção por meio da abolição da propriedade privada, mas de pautar conjuntamente outro modelo de desenvolvimento e outra perspectiva sobre o que é progresso.

---

138. Michael Löwy, "Treze teses sobre a catástrofe ecológica iminente", IHU-Unisinos, 2020, http://www.ihu.unisinos.br/78-noticias/596235-treze-teses-sobre-a-catastrofe-ecologica-iminente-artigo-de-michael-loewy.

O ecossocialismo se desenvolve como uma tradição distinta principalmente a partir da década de 1980, quando socialistas alimentados pelos desenvolvimentos da teoria verde e do movimento ambientalista ao redor do mundo passam a elaborar críticas específicas aos limites ecológicos das experiências socialistas daquele século e promover a ideia de uma síntese entre os "vermelhos" e os "verdes". Esse primeiro estágio do ecossocialismo, como classifica Kohei Saito,[139] contribuiu para apontar os limites de um ambientalismo que acredita em meras reformas ou até mesmo em colaboração com o capitalismo ou daquele que atua como se tudo não passasse de questões técnicas de gestão e acaba ignorando o papel do sistema como definidor do nível de destruição em que nos encontramos.

Como ecossocialistas desse primeiro estágio são muito críticos à obra de Marx no que se refere à ecologia, um segundo estágio do ecossocialismo se estabeleceu em resposta e em defesa da compatibilidade do debate ecológico em Marx, em particular nas discussões sobre *ruptura metabólica* que partem do Livro 3 de *O capital*, dos *Grundrisse* e de outros escritos marxianos.

O debate da ecologia marxista estabelece, a partir de Marx, como o materialismo histórico e dialético oferece uma análise de metabolismo em suas observações sobre como o sistema de produção interage com condições ecológicas.[140] A ruptura metabólica se refere a quando desenvolvimentos da sociedade humana geram tamanha pressão no metabolismo da natureza a ponto de causar uma ruptura irreparável no metabolismo social;[141] no caso do capitalismo, ele mesmo se expressa como sistema de rupturas metabólicas por sua lógica de exploração e acumulação.[142]

---

139. Kohei Saito, *Karl Marx's Ecosocialism* (Nova York: Monthly Review Press, 2017), 13.

140. Saito, 100.

141. Karl Marx, *Capital: Volume III* (Londres: Penguin Books, 1981).

142. John Bellamy Foster, *Marx's Ecology: Materialism and Nature* (Nova York: Monthly Review Press, 2000), 141.

A crise ecológica em que nos encontramos é uma crise metabólica e não pode ser reduzida a simples erros humanos, ainda mais porque a responsabilidade e o impacto são desiguais. Por isso mesmo, não basta o ambientalismo, ou uma perspectiva socialista que trate a natureza como pauta importante, porém parcial. O ecossocialismo compreende, a partir dessa visão metabólica, que toda discussão sobre modo de produção e força de trabalho é ecológica.[143]

Por isso, quando, no ecossocialismo, falamos de outro sistema, entram no debate de desenvolvimento e progresso busca por qualidade de vida, soberania alimentar, cidades organizadas de forma sustentável, valorização de serviços atrelados a saúde e educação e foco na importância da cultura. Sim, reconhecemos a importância de uma indústria autossuficiente para que um país não fique vulnerável a interesses estrangeiros, mas podemos pensar: quais indústrias? Como trabalhar a eficiência e combater a obsolescência programada dos produtos? Como a pesquisa pública pode ser um motor importante nesse processo? Qual modelo de transição energética devemos adotar e como ele mesmo pode ser fator de autonomia econômica do país e gerador de bons empregos, ou seja, o debate da *transição justa*?

É por isso que, ao ouvir sobre decrescimento como paradigma econômico, deve-se situar na proposta ecossocialista para evitar versões paternalistas ou que ignoram as demandas dos países mais pobres e/ou desiguais em termos de crescimento de empregos e autonomia produtiva. Essa distinção é valorosa para evitar leituras coloniais de que países que foram colonizados e se encontram em situação de capitalismo dependente devem se desenvolver e engajar com uma política mais sustentável. No ecossocialismo, o decrescer hoje é muito mais questão de crescer em certos setores, decrescer em outros e incentivar novos parâmetros de avaliação de sucesso econômico e qualidade de vida.

---

143. John Bellamy Foster e Hannah Holleman, "The Theory of Unequal Ecological Exchange: A Marx-Odum Dialectic", *Journal of Peasant Studies* 41, nº 2 (2014): 206.

A própria noção de desenvolvimento e subdesenvolvimento que conhecemos é influenciada por parâmetros capitalistas de avanço e atraso econômico. O papel é compreender que outros elementos dos países subdesenvolvidos deveriam ser considerados fatores de qualidade de vida, onde o sistema de dependência capitalista e a colonização são responsáveis por subdesenvolver setores inteiros da economia nacional, e, com isso, construir, mais que alternativas de desenvolvimento, alternativas *ao* desenvolvimento como modelo que mede a sociedade e a vida em parâmetros injustos e exploradores.[144]

É justamente por meio dessa crítica que rejeitamos a ideia de desenvolvimento sustentável, já que a sustentabilidade está sendo medida e articulada ainda sobre parâmetros do que significa desenvolvimento no capitalismo. Se entendemos que o capitalismo é um sistema de rupturas metabólicas, entendemos também que o desenvolvimento capitalista nunca poderá ser sustentável, que vai, no máximo, adaptar alguns elementos, ainda mais se for possível lucrar com os mesmos na perspectiva de um capitalismo "verde".

Mais recentemente, ecossocialistas têm se engajado com mais intensidade no debate de *libertação animal*, tanto por ecossocialistas que se tornam veganos quanto por veganos que se tornam ecossocialistas. Não tenho dados sobre isso, mas suspeito que veganos ainda são minoria no ecossocialismo; todavia, as discussões têm se alinhado cada vez mais pela compreensão de ecossocialismo como sistema que reconcilia seres humanos com a natureza e, portanto, com animais.

O entendimento da crueldade contra animais, do lucro do agronegócio, da contribuição ao aquecimento global, de questões de saúde – incluindo vírus atrelados à exploração industrial de animais[145] – e da crescente demanda por alimentos tem

---

144. Lang, "Introdução: Alternativas ao desenvolvimento", 31.

145. Rob Wallace, *Big Farms Make Big Flu. Dispatches on Infectious Disease, Agribusiness, and the Nature of Science* (Nova York: Monthly Review Press, 2016).

contribuído para uma síntese vegana ecossocialista. Veganismo é questão animal e questão de classe. Os animais não são como a classe trabalhadora, mas cumprem função de mercadoria na indústria de produtos de origem animal. Aos trabalhadores também interessa confrontar como a exploração animal se relaciona com a exploração e o adoecimento de seres humanos.

Por isso, ecossocialistas veganos defendem que a libertação animal é um processo que necessita de mais que o combate à ideologia especista e à cultura da carne. Embora estes sejam importantes elementos a combater, a eficácia do combate depende do confronto ao sistema que lucra com a exploração animal. O capitalismo produz a exploração animal e promove efetivamente seus produtos animais via especismo. Portanto, o combate isolado ao especismo está fadado ao fracasso, pois o próprio sistema sustenta a ideologia especista. Ao mesmo tempo, a adição do combate ideológico do especismo à luta material ajuda que ecossocialistas considerem não somente a redução do consumo de carne por razões climáticas, como direitos e liberdades dos animais em um sistema de soberania alimentar que garanta dieta vegetal saudável para todos. A relação, percebe-se, é dialética.

Nesse sentido, o ecossocialismo é a alternativa sistêmica proposta, enquanto os debates ao redor de decrescimento, transição justa, sustentabilidade, descarbonização (superação de atividades e modelos energéticos de produção intensa de gases de efeito estufa), pós-extrativismo (superação do modelo de mineração industrial) e bem viver (cosmovisão a respeito de que tipo de relações sociais e com a natureza queremos) são incorporados nas sínteses do ecossocialismo.

De fato, o *bem viver* se estabelece como cosmovisão bastante mobilizadora, em especial no contexto latino-americano, em que se constrói a partir de cosmovisões indígenas. O bem viver dialoga com noções de vida plena e inclusiva, mas não na perspectiva individual e liberal que com frequência é vendida como mercadoria num mundo desigual. O bem viver é uma visão alternativa sistêmica que, no ecossocialismo, orienta o paradigma de qualidade de vida e abundância.[146]

Em vez de compreender abundância por meio de mercadorias e pelo ato de ter, o bem viver hoje reconhece as necessidades materiais sem ceder à tendência do capitalismo que coloca quantidade além de qualidade. A abundância abarca também vontades, mas estas são guiadas pelo equilíbrio entre seres humanos e suas comunidades na natureza, priorizando ciclos sustentáveis e utilização do tempo em virtude de todos os aspectos da vida, não só do tempo de trabalho.

Sozinho, o bem viver não apresenta projeto político; ainda assim, ele deve ser central na construção da alternativa ecossocialista.

FORMAS DE SE ORGANIZAR POR OUTRO MUNDO

Neste ponto, tratamos da parte da construção, que definitivamente não é simples. Construir exige organização coletiva e intensos debates sobre objetivo, projeto político, tática e estratégia, método de ação, e assim por diante. Por isso, menciono aqui quatro tipos de organização política – mas vale pontuar que existe uma variedade maior, além de diversidade em cada tipo mencionado.

Começo com os *partidos políticos*, pois eles cumprem um papel fundamental no campo socialista marxista, no sentido de agregarem demandas diversas na oposição e na construção propositiva. Digamos, então, que o partido político é uma organização voltada para a totalidade. Mesmo que braços diferentes do partido cuidem de questões mais setoriais, como talvez um

---

146. Pablo Solón, "Bem viver", in *Alternativas sistêmicas: bem viver, decrescimento, comuns, ecofeminismo, direitos da Mãe Terra e desglobalização* (São Paulo: Editora Elefante, 2019), 21.

setorial de mulheres, isso não significa que assuntos feministas devam ser tratados apenas por esse setorial. Muito pelo contrário: o papel de grupos internos é pautar política e integrá-la ao restante do partido.

O partido político é muito mais que uma legenda eleitoral e, de fato, é comum que haja partidos atuando fora do meio eleitoral – e até mesmo na clandestinidade, quando seu direito de atuação não é assegurado na sociedade. Existem alguns tipos de partido, dos quais destaco aqui o organizado via centralismo democrático e o de tendências.

O centralismo democrático é uma dinâmica de debates e decisões dentro da organização, na qual cada militante deve se centralizar nos encaminhamentos e nas conclusões tomados pela maioria. Partidos que operam com centralismo democrático exigem disciplina militante a respeito das posturas elaboradas, assim como é necessário que membros da direção sejam ainda mais disciplinados enquanto criam mecanismos e espaços de debate, que podem ou não seguir calendários fixos e uma dinâmica própria. De acordo com Lênin, o centralismo democrático assegura total liberdade de crítica nos espaços internos, e publicamente todos os militantes devem agir de forma disciplinada para não contrariar as posturas formuladas pelo partido (unidade de ação).[147]

Diferentemente de partidos de centralismo democrático, o partido de tendências, ou partido amplo, possui uma estrutura de debates e decisões que inclui a disputa para dentro e para fora de grupos internos e militantes do partido. São partidos que apresentam organizações internas, chamadas "correntes" ou "tendências", que podem, por sua vez, ter estrutura interna de centralismo democrático ou não e que tocam os debates e disputam rumos do partido por esses debates, internos e/ou públicos, e nos congressos.

---

147. Vladimir Ilitch Lenin, "Centralismo democrático: 'liberdade para criticar e unidade de ação'", 1906, https://www.marxists.org/portugues/lenin/1906/05/20.htm.

Como resultado, partidos de tendência costumam se apresentar com menos coesão para fora, a ponto de parlamentares e figuras públicas do partido apresentarem balanços de conjuntura e propostas diferentes – e às vezes até antagônicas. A liberdade de crítica se faz presente nos espaços comuns entre as tendências, mas não necessariamente resulta em sínteses. Isso indica como uma forma organizativa, sozinha, não garante a criação de sínteses. Os partidos de tendência são especialmente comuns em locais onde a esquerda está bem fragmentada.

Partidos também podem trabalhar com noções de vanguarda; nesse caso, um grupo menor cumpre funções específicas ou é responsável por pautar debates mais avançados/novos, também com linhas/frentes de massa, e o objetivo é levar o projeto para uma quantidade maior de pessoas, com bastante foco em ação, mesmo que nem todas as pessoas envolvidas estejam *ainda* apropriadas dos debates da vanguarda.

Aqui vale pontuar a existência dos chamados partido-movimento, em que um partido político se organiza em torno da construção de um ou mais movimentos que, por sua vez, colaboram com os debates políticos internos.

Partidos de esquerda costumam ter relação com sindicatos e centrais sindicais. *Sindicatos* são organizações de trabalhadores voltadas para reivindicar direitos trabalhistas, organizar no espaço de trabalho ou na categoria de trabalho; têm a função de estimular a consciência de classe e a ação conjunta da classe trabalhadora como um todo. Essa última função é importante para evitar que sindicatos sejam rebaixados a entidades economicistas, como critica Gramsci, e que se preocupam apenas com direitos econômicos de seus membros.[148]

Sindicatos em geral se filiam a alguma central sindical, que, por sua vez, auxilia a coordenação entre vários sindicatos, de várias categorias diferentes, e articula grandes frentes de luta, campanhas, análises de conjuntura amplas e mais. Centrais

---

148. Gramsci, "The Gramsci Reader: Selected Writings 1916-1935", 202.

cumprem um papel importante na organização de paralisações e greves gerais. Uma central de esquerda pode se relacionar com apenas um partido de esquerda ou com vários. Essa relação é importante para a definição de projeto político e o engajamento de trabalhadores organizados.

Com o advento de processos de fragmentação do trabalho, como terceirização, empregos intermitentes, o já conhecido trabalho informal e agora o trabalho instável e explorado via aplicativos – processo conhecido como "uberização do trabalho" –, sindicatos encontram novos desafios em seu modelo comum de organização; isso, como apontado por Rosa Luxemburgo desde o começo do século passado,[149] já era tendência em declínio, o que não significa ser impossível organizar trabalhadores nessas áreas.

Ao mesmo tempo, *movimentos sociais* são organizações mais amplas. Há vários tipos de movimentos sociais, e as classificações diferem de acordo com a linha sociológica de estudo. Assim como partidos (e mesmo sindicatos, em especial os economicistas), movimentos sociais podem ser de direita; no entanto, como a proposta neste livro é a transformação radical do mundo, cito apenas os movimentos sociais que buscam tal transformação.

Muitas vezes se vê um debate sobre "o movimento feminista" ou o "movimento por moradia", mas essa expressão se refere mais às demandas que à organização em si. Organizações de movimentos sociais compõem essas demandas, mas possuem dinâmica, tática, estratégia, critérios de participação e objetivos imediatos próprios. Por exemplo, quando se fala do Movimento dos Trabalhadores Rurais Sem-Terra (MST), sabemos que se trata do movimento de demanda pela terra; isso não significa que o MST, por maior que seja, compõe sozinho todo o movimento pela terra e pela reforma agrária. Existem outras organizações de movimentos sociais. Inclusive, pode-se falar de articulações de movimentos sociais, como a Via Campesina, na América Latina.

---

149. Luxemburgo, *Rosa Luxemburgo: Textos escolhidos - Volume 1 (1899-1914)*, 27.

Falamos de movimento climático para nos referirmos à causa climática, mas são diversos os movimentos que o compõem. Em certos casos, um movimento amplo é composto também por organizações não governamentais (ONG). Todavia, mesmo que sejam bastante engajadas numa causa, eu trabalho com a definição de que uma ONG em si não é um movimento social, e sim uma entidade representante da sociedade civil regida por formalidades específicas.

Por fim, existem os *coletivos políticos*, que são os mais diversos em formato, composição, objetivos e atuação. Podemos falar de um coletivo estudantil na universidade, um coletivo feminista de um município, um coletivo vegano anticapitalista, e assim por diante. As tendências internas de partidos amplos também podem se entender como coletivos, mas, no caso, são coletivos organizados/vinculados a um partido. Alguns coletivos se apresentam mais informais, construídos por afinidade política ou espaço comum de atuação, enquanto outros se estabelecem a partir de manifestos, possuem dinâmica interna de coordenação, regras de conduta, congressos e mais.

Essas formas de organização não podem apenas se autopromover; elas devem se engajar no que é comumente chamado de "trabalho de base". Há quem pense que o trabalho de base consiste em um grupo de líderes no topo que guia as massas na base. Eu sou contrária a essa posição, que é desfavorável à criação de sujeitos políticos e o poder popular. Em vez disso, penso o trabalho de base como a atuação política que gera fundamento para a mobilização.

O trabalho de base marca presença, cria laços de solidariedade, promove formação política, incentiva novas lideranças, amplia a ação daquela organização, estabelece uma relação de diálogo permanente e, assim, fortalece e engradece a organização política e o campo ideológico em que esta está inserida. Sem trabalho de base não há como desenvolver práxis revolucionária.

PAR

TE 3

VOCÊ E A MUDANÇA DO MUNDO

Os desafios para a transformação do mundo são gigantescos. Se já é difícil transformar uma comunidade local, imagine em escala planetária, considerando mais de 7 bilhões de pessoas. Todavia, é importante lembrar que as dificuldades em nível local existem porque as estruturas que operam ali também são majoritariamente ditadas em âmbito internacional.

É importante compreender que não há como transformar apenas uma pequena bolha, pois as mudanças ficariam restritas em número e, ainda assim, seriam vulneráveis. Até a comunidade mais autossuficiente é frágil diante de perseguição, poder militar e crises ecológicas. Para pautar algo mais radical, é preciso bastante articulação entre focos de resistência e solidariedade internacionais.

QUINTO CAPÍTULO

Os desafios do nosso tempo

"Os oprimidos não obterão a liberdade por acaso, mas a procurando em sua práxis e reconhecendo que é necessário lutar para consegui-la. E essa luta, por causa da finalidade que lhe dão os oprimidos, representará um ato de amor, oposto à falta de amor que se encontra no coração da violência dos opressores, falta de amor ainda nos casos em que se reveste de falsa generosidade."
Paulo Freire[150]

No momento em que escrevo este livro, as coisas estão complicadas. O mundo passa por uma somatória de crises – de democracia, saúde, economia, natureza. E, juntos, esses fatores formam uma grande crise metabólica, civilizatória.

A crise é metabólica porque não atravessa apenas um ou outro organismo. Quando falamos do capitalismo como sistema que atravessa todos os tipos de relação, devemos compreender que mudar apenas um elemento ou outro não altera a situação geral nem garantirá que as pequenas mudanças perseverem. Com o agravamento da mudança climática e o esgotamento de recursos, estamos diante de um século de incertezas. Quando penso no grande desafio do século 21, vejo que o que está em risco, no fim das contas, é o século 22. Sempre digo isso em minhas aulas sobre ecossocialismo, pois

---

150. Freire, *Conscientização: Teoria e prática da libertação*, 67.

2100 parece longe, mas a possibilidade de a humanidade chegar lá com uma sociedade saudável e sustentável depende de tudo que fazemos hoje.

Por isso, não podemos abrir mão de entender que o capitalismo tem metabolismo próprio, e isso exige que lidemos com vários problemas ao mesmo tempo. É um panorama complexo a encarar.

UM SISTEMA EM MOVIMENTO

Uma coisa importante a pontuar é que, apesar de falarmos de sistemas como se tivessem agência, é necessário compreender que o capitalismo se adapta porque a sociedade se adapta e é adaptada. A dialética entre agência e estrutura nos leva à compreensão de que uns têm mais agência que outros e de que as principais dinâmicas políticas que aparentam igualar a agência de todos seguem totalmente subordinadas aos interesses de quem conta com mais poder.

Talvez você já tenha ouvido que "o capitalismo tirou milhões de pessoas da pobreza" como argumento a favor do sistema capitalista. Ocorre que é preciso olhar para o argumento um pouco mais de perto para entender como tal proposição é reducionista, pois tenta criar uma linha reta entre suposta causa e feito.

O desenvolvimento das forças produtivas durante o capitalismo é rápido, global e de altíssimo impacto – positivo ou negativo. Não por acaso, Marx e Engels reconhecem que a burguesia cumpre um papel que pode ser chamado de "revolucionário", mas de uma perspectiva de transformação radical das relações produtivas e sociais para o capitalismo, não no sentido emancipatório do que chamamos de revolucionário no socialismo.[151]

---
151. Marx e Engels, *Manifesto do Partido Comunista*, 42.

Ambos colocam que o desenvolvimento do capital também leva ao desenvolvimento da classe trabalhadora, que se torna cada vez mais massificada. Como se trata de um sistema que opera sob crises constantes, também ocorrem possibilidades de ruptura ou de pressionar e se revoltar ainda dentro do sistema.[152] O engajamento com o Estado e a luta de trabalhadores em seus sindicatos e com ferramentas de protesto, como greves, compõem uma constelação de fatores que incidem sobre o capitalismo, de modo que não é possível simplesmente atribuir melhorias no nível global de pobreza por meio de uma concepção que seria o mero capitalismo de livre-mercado em atuação.

O economista Esteban Ortiz-Ospina explica que ganhos econômicos para os mais pobres ocorreram enquanto o capitalismo "floresceu", mas os maiores ganhos também coincidem com períodos de alto nível de gastos públicos e de redistribuição de renda.[153]

Quando há crescimento econômico, cuja principal convenção de medida é o crescimento de Produto Interno Bruto (PIB) de um país, há mais para redistribuir caso seja a orientação do governo. Todavia, vivemos a mais recente fase de normalização da austeridade como doutrina econômica, principalmente a partir de 2010, quando potências capitalistas passaram a reagir a medidas estatais à crise financeira que explodiu em 2009.[154]

Isso significa mais um giro em relação à pobreza no mundo e também à desigualdade. É comum que entre liberais se argumente a favor do combate à pobreza, mas também pela naturalização da desigualdade, como se fosse mera consequência da estrutura de mercado em que bilionários são visionários e, talvez, o máximo a fazer seja alguma tributação focada em compensar o problema da pobreza.

---

152. Marx e Engels, 45–46.

153. Esteban Ortiz-Ospina, "Historical Poverty Reductions: More than a Story about 'Free-Market Capitalism' - Our World in Data", Our World in Data, 2017, https://ourworldindata.org/historical-poverty-reductions-more-than-a-story-about-free-market-capitalism.

154. Blyth, *Austeridade: A história de uma ideia perigosa*.

Para social-democratas, em geral atentos a modelos econômicos como nos países nórdicos,[155] onde há maior Estado de bem-estar social, há combate tanto à pobreza quanto à desigualdade extrema. Mas, como as contradições do capitalismo não são eliminadas, há sempre o risco de reação por parte da direita para garantir o lucro, dificultando acesso a direitos ou por meio de desmonte, ao menos parcial, dos sistemas de seguridade social. Esses países estão longe de ser socialistas, pois operam plenamente pelo mercado capitalista. Portanto, não se podem confundir medidas sociais de amenização e até mesmo conciliação com o capitalismo como se fossem socialistas pelo simples fato de pautarem direitos.

No Brasil, tanto a desigualdade quanto a pobreza têm voltado a crescer. Um relatório da Oxfam de 2018 aponta que a proporção de pessoas em situação de pobreza aumentou e se compara com números mais antigos, como de 2012, e que a desigualdade de renda salarial também subiu.[156] Cabe ressaltar que os critérios comuns que definem a linha da pobreza como 5,50 dólares por pessoa, por dia, em países com a economia do tamanho da do Brasil, colocam quem ganha apenas um salário mínimo acima da linha. Mesmo assim, é sabido quanto é difícil sobreviver sozinho apenas com esse salário – que dirá sustentar uma família. Se pensarmos critérios baseados em qualidade de vida, veremos que muitos mais milhões de brasileiros passam dificuldade financeira no cotidiano.

Isso requer que confrontemos o significado de desenvolvimento e a hegemonia de cálculos de crescimento econômico sob o capitalismo como índices de melhoria. As principais ideias so-

---

155. O modelo nórdico não é homogêneo e tem peculiaridades de país para país. É importante mencionar que os desenvolvimentos sobre o Estado de bem-estar social não partiram simplesmente de uma concepção da social-democracia, mas envolvem construção e conflito entre a direita, socialistas, centristas e organizações diversas.

156. OXFAM Brasil, "País estagnado: Um retrato das desigualdades brasileiras 2018," *Oxfam Brasil*, 2018, 16.

bre desenvolvimento e progresso na sociedade global acomodam os interesses capitalistas, o que, por sua vez, impede que a pobreza seja eliminada como um todo e que a desigualdade (e não somente a extrema desigualdade) seja alvo de questionamento.

Basta pensarmos quantas vezes florestas foram desmatadas, rios foram poluídos, comunidades se viram despejadas, povos foram massacrados e guerras ocorreram em nome de uma noção elitista de progresso. Os processos de colonização dos últimos séculos, mesmo antes do estabelecimento do capitalismo, foram pautados por meio da busca por propriedade, dominação, e, com isso, os dominadores se propunham detentores do progresso, aparentemente justificado por suas tecnologias e seus valores.

Hoje é possível observar como o progresso, pautado com um significando ainda profundamente colonial, é uma grande contradição. Sempre que penso nisso retorno a um trecho de Walter Benjamin em *Teses sobre o conceito de história*, nas quais ele relata como o progresso é similar a uma tempestade. Essa tempestade sopra o "anjo da história" para o futuro, de modo que o desenrolar histórico se dá "enquanto o amontoado de ruínas cresce até o céu".[157]

Na maior parte do mundo a desigualdade tem crescido bastante desde 1980, enquanto nos países já extremamente desiguais o nível segue bastante alto.[158] Em nações mais ricas, a diferença de ganhos para o capital privado e para o cofre público também aumentou bastante; ou seja, há enriquecimento, mas, ao mesmo tempo, o governo perdeu recursos.[159]

A pressão por privatizações e a atuação do mercado financeiro (com métodos inovadores de criar dinheiro a partir de dinheiro) contribuem para tal contraste. As privatizações envolvem tanto a compra de empresas estatais quanto, é possível

---

157. Walter Benjamin, "Sobre o conceito de história (1940)", in *Magia e técnica, arte e política. Obras escolhidas, v. I* (São Paulo: Editora Brasiliense, 1987).

158. F. Alvaredo et al., "World Inequality Report 2018 Executive Summary", 2018, 20.

159. Alvaredo et al., 10.

argumentar, modelos voltados para concessões de exploração e administração e parcerias público-privadas. Enquanto isso, o mercado financeiro se especializa em transformar dinheiro em mais dinheiro fora do processo produtivo, o que envolve bancos e juros, lucros de acionistas, dinheiro fictício e até mesmo apostas financeiras sobre bens de terceiros.

O Relatório da Desigualdade Mundial de 2018 aponta que maior acesso à educação e a empregos que pagam bem são fundamentais para melhorar a vida das pessoas mais empobrecidas.[160] Todavia, há tendências contrárias a isso, tanto pela atuação do setor privado na educação quanto pela precarização do trabalho.

No Brasil, altas taxas de desemprego são acompanhadas de oportunidades informais de trabalho, que não possuem estabilidade e proteções desejadas, além de pagarem mal. São milhões de trabalhadores sem carteira assinada ou que trabalham por conta própria no mercado informal (sem CNPJ) e, por consequência, quando empregam alguém, também é na informalidade.[161]

Assim, somam-se as experiências de gente que nunca foi reconhecida formalmente, por exemplo muitos trabalhadores domésticos, com as novas modalidades de empregos informais desde o trabalho intermitente àqueles que são, convenientemente, empacotados como "empreendedores" por parte das empresas que lucram com a vulnerabilidade e com os valores baixos pagos à força de trabalho contratada sem vínculo empregatício. Nesses casos, a noção acerca de empreendedorismo serve para glamorizar situações precárias, como a de entregadores via aplicativos, como se o caso fosse de autônomos com boas chances de mobilidade social.

Quando há envolvimento de novas tecnologias, em particular dos aplicativos, costuma-se debater a criação de uma mo-

---

160. Alvaredo et al., 16.

161. Akemi Nitahara, "Informalidade cai, mas atinge 38 milhões de trabalhadores | Agência Brasil", AgênciaBrasil, 2020, https://agenciabrasil.ebc.com.br/economia/noticia/2020-03/informalidade-cai-mas-atinge-38-milhoes-de-trabalhadores.

dalidade específica de precariedade por meio da uberização do trabalho. Essa uberização, por sua vez, estrutura todo o processo produtivo de serviços em muitos modelos de negócio via aplicativos. A relação, porém, é costumeiramente apagada para o trabalhador (em termos jurídicos, mas também no discurso) como modelo de "empreendedorismo".[162] Passa a ser impossível desconectar a uberização do trabalho da uberização da própria burguesia e seus novos modelos de acumulação de capital.

Por isso, enfrentamos desafios atrelados ao desenvolvimento tecnológico e sua propriedade. Há, com certeza, tecnologias desenvolvidas com o único propósito de causar dano, como na indústria da guerra. Todavia, há também tecnologias cujo valor de uso pode ser destinado a facilitar a vida dos trabalhadores e até mesmo liberar mais tempo de descanso devido à eficiência. O problema ocorre quando os detentores dessas tecnologias as aproveitam para eliminar empregos e inovar em dinâmicas de exploração.

Há outros elementos específicos da produção industrial que devemos considerar. Na tecnologia, pode-se falar de obsolescência programada e de como aparelhos eletrônicos raramente são feitos para durar. A única função do lançamento de um celular menos avançado que aquele que a empresa já é capaz de produzir é garantir o lucro. Assim, consumidores verão seus novos aparelhos ficarem obsoletos mais depressa, isso quando não são tentados a trocar de aparelhos todos os anos para não perder nenhum lançamento.

Essa lógica, obviamente, aumenta a produção de resíduos, que variam entre não biodegradáveis, biodegradáveis, recicláveis, não recicláveis, seguros e tóxicos. Os danos para a natureza são profundos, assim como a lógica de tratamento de resíduos alimenta setores inteiros de trabalho informal e miséria ao redor dos lixões e aterros.

---

162. Virgínia Fontes, "Capitalismo em tempos de uberização: do emprego ao trabalho", *Marx e o marxismo-Revista do NIEP-Marx 5*, nº 8 (2017): 45-66.

O fato de que a empresa que produz e/ou vende o produto não precisa se preocupar com descarte adequado ou reutilização e reciclagem significa uma transferência do custo ao público e à natureza. Será que se os custos com resíduos fossem responsabilidade das empresas, elas produziriam tantas coisas feitas para quebrar?

Dados de 2015 indicam que 42% do plástico usado naquele ano serviu para embalagens e pacotes.[163] Apesar de a redução de plástico de uso único, como canudos e outros descartáveis, ser completamente desejável – já que todas as áreas devem ser cobertas –, é preciso questionar o plástico que é empurrado ao consumidor sem muita escolha, já que envolve desde o plástico de embalagem de cereais até aquele envolvido no transporte de mercadorias.

Mesmo quando empresas desenvolvem sistemas próprios ou parceiros de logística reversa, quando suas embalagens são retornadas pelos consumidores para reciclagem e/ou reutilização, o custo do processo ainda pode ser alto demais, até proibitivo, para pequenas empresas. Isso ocorre porque a cadeia produtiva geral é muito mais focada em lucrar a partir da mineração e da industrialização de materiais que por seu reaproveitamento. De fato, em setores como o de peças de computadores e baterias, a própria engenharia de certas peças impede sua reciclagem adequada.

Esse contraste contribui para nosso argumento de que podemos fazer impactos positivos como indivíduos, mas a maioria dos desafios que os indivíduos confrontam nesse sentido já vem predeterminada na lógica do próprio modo de produção.

Chama atenção como apenas raramente se discute a questão do petróleo quando se fala da redução do plástico convencional. A criação de lixo, como resíduo completamente descartado na natureza, pelo capitalismo deve ser debatida no contexto da poluição, das mudanças climáticas e da extração de bens naturais transformados em mercadoria.

A formulação a respeito de uma nova época geológica na Terra chamada de Antropoceno se relaciona com o gigantesco

---

163. Hannah Ritchie, "Plastic Pollution", *Our World in Data*, 2018.

impacto da espécie humana na configuração de ecossistemas e alteração de estruturas geológicas por meio de diversas atividades humanas. Isso exige discutir de aquecimento global a processos de urbanização, agricultura e ciclos de elementos químicos.[164] Não há consenso sobre qual data deve ser registrada como o início do Antropoceno, mas é inegável que, desde a primeira Revolução Industrial e o desenvolvimento do capitalismo em nível global, o impacto aumenta considerável e rapidamente.

Além disso, há uma enorme diferença entre quem mais impactou e aqueles que mais sofrem o impacto nesta época. Toda e qualquer discussão política sobre o Antropoceno precisa levar em consideração o capitalismo e a desigualdade. É por isso que alguns pensadores defendem o uso sociológico e político do termo "Capitaloceno", embora a definição de Antropoceno abarque mais que o capitalismo e pertença a discussões da geologia. Torna-se necessário afirmar os ganhos da modernidade e garantir a crítica aos elementos destrutivos, sem cair, claro, em uma romantização do passado.

Não é por acaso que o debate do Antropoceno exige nossa reflexão sobre qual visão de mundo queremos. Como coloca Ailton Krenak, "o Antropoceno tem um sentido incisivo sobre a nossa existência, a nossa experiência comum, a ideia do que é humano. O nosso apego a uma ideia fixa de paisagem da Terra e de humanidade é a marca mais profunda do Antropoceno".[165]

TENDÊNCIAS PERIGOSAS

Certas tendências crescentes na conjuntura também são razão de preocupação. Elas envolvem agência e estrutura, e algumas

---

164. Marques, *Capitalismo e colapso ambiental*, 391.

165. Ailton Krenak, *Ideias para adiar o fim do mundo* (São Paulo: Companhia das Letras, 2019).

são mais voltadas à coerção, enquanto outras focam a criação de consenso na sociedade.

Em 2019, o custo total com o aparato militar no mundo atingiu o patamar de 1,917 trilhão de dólares.[166] Para colocar em perspectiva, em 2005, o economista liberal Jeffrey D. Sachs publicou que o valor mínimo de 124 bilhões de dólares por vinte anos ajudaria no desenvolvimento e combate à extrema pobreza em países empobrecidos.[167] Em apenas dois anos, o gasto global com o aparato militar ultrapassa os 3,5 trilhões de dólares necessários.

Apesar de parecer simples, o que vemos é que não há interesse do sistema capitalista em eliminar completamente a pobreza. Quando países ricos ajudam países empobrecidos financeiramente, os recursos são baixos em relação ao tamanho de suas economias. Para além disso, os valores cobrem de assistência social a investimentos econômicos, o que, por sua vez, aprofunda as relações de capitalismo dependente.

Com isso, para a ofensiva imperialista, principalmente, não faltam recursos, já que cumpre um propósito no processo de acumulação a partir do acesso a novos recursos naturais, força de trabalho e mercados. Como forma de legitimar tais ofensivas na era da democracia liberal, falam de justamente de "levar democracia" para outras partes do mundo, o que, obviamente, serve para mascarar o envolvimento de países ricos em golpes de Estado em países empobrecidos.

O contexto militar também se aplica às polícias ao redor do mundo, tanto as que operam dentro de uma estrutura de corporação militar quanto as que operam no âmbito civil, já que militarização não é apenas a estrutura, mas também um modo

---

166. Stockholm International Peace Research Institute, "Global Military Expenditure Sees Largest Annual Increase in a Decade—Says SIPRI—Reaching $1917 Billion in 2019 | SIPRI", 2020, https://www.sipri.org/media/press-release/2020/global-military-expenditure-sees-largest-annual-increase-decade-says-sipri-reaching-1917-billion.

167. Jeffrey D. Sachs, *The End of Poverty: Economic Possibilities for Our Time* (Nova York: The Penguin Press, 2005), 218; 290.

de pautar segurança pública. Quando novas "guerras" são travadas em território doméstico, como o caso da guerra às drogas que mencionei no início, o termo "guerra" é muito mais que retórico, pois permeia toda a perspectiva de combate de inimigos. E, como em qualquer guerra, normalizam-se as ocorrências de casualidades "colaterais".

A partir de inovações tecnológicas e estudos sobre comportamento humano, a vigilância se torna um elemento cada vez mais presente nas táticas de controle. Elementos que parecem distantes e pertencentes a contos de ficção de científica, algo de distopias como na série *Black Mirror*, estão cada vez mais presentes na realidade em que vivemos.

O panóptico, a estrutura prisional com eficiência vigilante que Michel Foucault apresenta em detalhes em *Vigiar e punir*, não está mais limitado a uma arquitetura física em um prédio. Passa das câmeras de vigilância em espaços urbanos ao comportamento nas redes sociais. "A visibilidade é uma armadilha."[168] Hoje, a armadilha é tão grande que a presença nas redes ganhou força de fato social, sendo quase que compulsória para quem pretende se informar, debater, dialogar, intervir, se entreter e socializar. O jornalista Glenn Greenwald resgata o panóptico como a alegoria para o ato de "ver sem ser visto" quando descreve e analisa as atividades de espionagem da Agência de Segurança Nacional (NSA) estadunidense.[169]

Assim, a vigilância como indústria possui várias facetas de controle: vigiar para disciplinar e punir, vigiar como arma, vigiar para vender, vigiar para intimidar.

A normalização da vigilância, em especial sua banalização, onde o acesso de corporações a nossos dados envolve desde o local em que estamos às últimas palavras que falamos, é um prato cheio para as tendências autoritárias – até mesmo em

---

168. Michel Foucault, *Vigiar e punir* (Petrópolis: Editora Vozes, 1999), n.p.

169. Glenn Greenwald, *Sem lugar para se esconder - Edward Snowden, A NSA e a espionagem do governo americano* (Rio de Janeiro: Sextante, 2014), n.p.

países considerados, erroneamente, bastiões da democracia, como os Estados Unidos.

O que vemos hoje é a intensificação dessas tendências autoritárias por governos de extrema-direita e grupos fascistas que perderam o pudor de defender aquilo em que acreditam. Há uma onda de novos partidos e grupos de extrema-direita em todos os continentes. Como tática, alguns se posicionam como "alternativa" ou antissistema, de modo que se aproveitam de frustrações e desamparo comuns nessa realidade.

A intimidação e a promoção do medo são ferramentas importantes para o autoritarismo hoje, que busca se legitimar com retóricas específicas na tentativa de impedir que seu desdém por direitos democráticos seja exposto. Ideologicamente, esses projetos se conectam entre si por interesses comuns e se alimentam do militarismo, do fundamentalismo religioso, da xenofobia e do racismo enquanto se aproveitam de táticas de despolitização.

Com o agravamento da crise climática e guerras imperialistas e guerras civis, a tendência é termos cada vez mais refugiados em busca de um local seguro para viver. O fundamentalismo religioso também é responsável por perseguição a diversos grupos vulneráveis. Assim, enfrentamos mais uma contradição: posições que legitimam situações ao redor do mundo que geram refugiados e outros imigrantes são as mesmas que promovem políticas anti-imigração.

A produção de consenso da xenofobia é complexa e atravessa o medo que alguém pode sentir do Outro, que não lhe é familiar, o desejo de preservar seu próprio modo de vida, a vontade de impor como outros devem viver, sentimentos de proteção patriótica, racismo, percepções de imigrantes de países menos desenvolvidos como "exóticos", além de resquícios de pensamento colonial – que opera tanto em países colonizadores quanto em nações colonizadas.

O avanço das mudanças climáticas – já que mesmo se as políticas atuais acordadas no espaço das Nações Unidas fossem implementadas elas ainda seriam insuficientes – terá consequências diferentes em cada lugar. A desigualdade se mantém de várias formas, e é visível como há fome em alguns lugares e excesso e desperdício em outros. Estudos que apontam que algumas regiões podem ter aumento de temperatura média para além de 5 °C caso a média global ultrapasse 3 °C sugerem que certos cantos podem se tornar inabitáveis, ainda mais para quem vive sem o conforto de local de trabalho e moradia artificialmente climatizados.[170]

Sem um plano radical para frear o aquecimento global – ou seja, que transforme como produzimos e consumimos –, o empobrecimento, a fome e diversas enfermidades tendem a aumentar. Sem a execução desse plano, processos revolucionários também se tornam mais complicados e distantes, principalmente o caminho para uma revolução ecossocialista, que considera a construção de uma sociedade sustentável parte de seu horizonte.

A luta por mudar o mundo é uma luta de mudança de condições. Cada desafio concreto que marca nossa época, além das questões sistêmicas, é uma alteração na ordem de condições. É por isso que não se deve pensar o enfrentamento ao capitalismo como algo uniforme em termos históricos. Características do nosso tempo interagem com o capitalismo (em confronto ou conformidade), e algumas são resultado do próprio aprofundamento do capital.

Assim, não dá para pensar a mudança como uma receita de bolo a ser copiada de 1917, de 1949 ou 1959. Os desafios de organização política sob uma pandemia fatal são diferentes de quando não há pandemia. Pensar a produção hoje deve ser diferente de quando se produzia sem conhecimento da dimensão do aquecimento global ou da concentração de plástico no oceano. Se alguns processos históricos não concederam centralidade para as pautas antiopressão ou a abordagem era insuficiente diante das expecta-

---

170. Tim Palmer, "Short-Term Tests Validate Long-Term Estimates of Climate Change", *Nature* 582, nº 7811 (June 26, 2020): 185-86.

tivas emancipatórias atuais, não significa que uma nova experiência deva ser excludente. Da mesma forma, o enfrentamento à violência estatal e das elites não pode ser simplesmente replicado dos tempos em que o aparato tecnológico de vigilância era menos desenvolvido.

Todas essas questões precisam ser avaliadas a fim de pautar um caminho reflexivo e customizado para a transformação do mundo. As avaliações da realidade variam, e o próprio método é aprimorado pelas contínuas reflexões. Há, contudo, algo que não muda na busca por emancipação que transforma o mundo: ninguém consegue fazer isso sozinho.

CONCLUSÃO

Nenhuma pessoa muda o mundo sozinha

> *"Sem comunidade não há libertação, apenas o mais vulnerável e temporário armistício entre uma mulher e sua opressão."*
> Audre Lorde[171]

Apesar de falar bastante da estrutura, lembremos que a realidade envolve uma dialética entre estrutura e agência. A estrutura é muito mais poderosa que a agência de uma pessoa sozinha, mas a coletividade (principalmente organizada) colabora para alterar essa correlação de forças. Aliás, a expressão "correlação de forças" é muito usada em análises da esquerda e circula bastante nos debates militantes. O problema é que não basta afirmar a existência ou não de uma correlação de forças favorável para reformas e revolução. Se fosse assim, teríamos um problema de incoerência, uma vez que diferentes forças de esquerda podem discordar sobre isso – ainda mais quando há um governo de esquerda no poder institucional.

A análise da correlação de forças em um local precisa ser feita com cuidado, utilizando-se do método do materialismo histórico e dialético, com atenção especial para a capacidade de mobilização de um lado e o aparato de repressão e de sabotagem econômica que pode ser acionado pelo outro lado.

---
171. Audre Lorde, *Irmã outsider* (Belo Horizonte: Autêntica Editora, 2019), 137.

Trato disso porque, imagino, agora que chegamos à conclusão, você já deve ter notado que a correlação de forças geral, globalmente, não está favorável. Uma pequena e seleta lista indica que:

Estamos ainda longe de reverter a tendência do aquecimento global. Governos de extrema-direita têm ganhado adesão em vários países. A Amazônia segue sendo desmatada. Povos indígenas continuam tendo seu direito ao território e à vida negados. O racismo mata via descaso ou via armas. A desigualdade é gigantesca. Mulheres não têm direitos assegurados, e o risco de estupro, de feminicídio ou de ter que prosseguir com uma gestação indesejada é cotidiano.

Produzimos muita comida, mas, ainda assim, centenas de milhões de pessoas passam fome. Em boa parte do mundo, acesso a serviços de qualidade nos setores de saúde e educação tornou-se ou está se tornando mercadoria. As definições de normal seguem excluindo pessoas com deficiência, síndromes e/ou condições adversas de saúde, o que afeta também sua sobrevivência. Grandes empresas exploram recursos minerais, mas não se responsabilizam pelo ecocídio provocado por barragens rompidas ou rios contaminados. Salário mínimo não é mínimo para viver, mas para mal sobreviver.

A violência e a discriminação por identidade de gênero e orientação sexual são normas e se agravam em muitos países. A perda de biodiversidade é alarmante, e nossa dieta inclui crueldade e é moldada via *marketing* e interesses de algumas multinacionais da indústria. Os lucros são frequentemente privados, mas os prejuízos são socializados.

É muita coisa, muita coisa mesmo, e é por isso que é comum que as pessoas caiam no conformismo. Pode ser um conformismo despolitizado, por viver em um contexto mais confortável onde as piores coisas não lhe atinjam pessoalmente e por achar que política é assunto chato. Pode ser um conformismo informado, mas desesperançado, quando se pensa que não há mais saída. E acredite: há aqueles que trabalham ativamente para promover o conformismo e convencer de que não há nada a fazer, pois apenas o capitalismo é possível.

Como justificativa, os ideólogos da impossibilidade apontam erros e derrotas de experiências socialistas no século 20 como se fossem definidores do projeto socialista e de responsabilidade única de seus proponentes. É uma narrativa cor-de-rosa em que a União Soviética não enfrentava desafios externos entre guerras concretas e guerras frias. Em que Cuba não prospera por simples e espontânea vontade, como se não houvesse um pesado bloqueio econômico. É como se no Brasil qualquer tentativa de popularizar o comunismo não fosse combatida com ampla unidade de ação por setores desde a extrema-direita a frações da própria esquerda. É como se o capitalismo fosse nossa realidade por ser superior em qualidade em vez de superior em dominação, despolitização, exploração e violência que perpetuam o sistema.

A farsa do capitalismo "humanizado" ainda atrai muita gente insatisfeita com a realidade, porque parece mais simples e mais possível. Porém, se o capitalismo se sustenta na desigualdade e na exploração, sua humanização é irreal. Não é utopia, mas uma contradição irreconciliável. Esse discurso serve aos interesses de quem também vende que não há outra alternativa, pois o capitalismo já teria derrotado tentativas anteriores.

O importante é compreender o erro: se vivemos sob o capitalismo hoje, não é porque ele venceu. É porque não o vencemos *ainda*.

PAUTAR ALTERNATIVAS É A ÚNICA ALTERNATIVA

Existe sempre a opção de cruzar os braços. Até mesmo quem observa os problemas e se preocupa com o presente e o futuro da sociedade humana segue com a opção de cruzar os braços.

Incomoda um pouco mais se você sabe quão grave é o estado das coisas, mas, ainda assim, é possível deixar de lado para focar em seus desafios pessoais, um dia de cada vez.

Quanto mais bem posicionado se está nas estruturas desiguais, mais fácil é se preocupar antes de dormir, mas fazer tudo exatamente igual durante o dia seguinte. De fato, até quem está mal posicionado pode se enganar pelo fatalismo, pela despolitização e pelas promessas de falsas soluções que garantem mobilidade social apenas para uma pequena fração de pessoas.

Uma lição central da politização deve ser justamente a conclusão de que caminhamos como sociedade rumo ao abismo. Uma reflexão dessas é suficiente para deixar qualquer pessoa pessimista. Mas pessimismo não é conformismo, ou pelo menos não precisa ser.

Eu sou pessimista. Alguém pode me corrigir e dizer que, diante de tudo o que escrevi aqui, não sou pessimista, apenas realista. Mas eu sou pessimista, sim. Passo a maior parte do tempo de pesquisa, de análise e de construção militante pensando no pior. Por quê? Porque pensar no pior me motiva a agir para evitar esse destino. O fatalista acha que estamos fadados a tal destino e que não existe escapatória; o pessimista engajado encontra em seu pessimismo razões para agir.

Era disso que Antonio Gramsci falava sobre pessimismo da razão e otimismo da vontade.[172] O pessimista engajado sabe que a correlação de forças é desfavorável, mas não se entrega a essa conclusão. Ao contrário, avalia que a única chance é o enfrentamento. De fato, não há alternativa se desistirmos logo de partida. Se percorremos a maratona, podemos construir, com suor e disciplina, alguma possibilidade de vitória. Tentar mudar o mundo é imperativo se quisermos um mundo diferente – ele não vai mudar sozinho ou só na base do desejo.

Por isso é bom situar que otimismo da vontade não é otimismo de quem tem vontade (e só). É sobre a unidade dialética entre

---

172. Antonio Gramsci, "An Address to the Anarchists", *L'Ordine Nuovo*, 1920.

querer e fazer que carrega a convicção de que é preciso escapar desse sistema, além de ser necessário construir o sistema seguinte.

A solidariedade é uma postura oposta ao conformismo e ao fatalismo. É possível sentir empatia pelo outro que sofre, mas não necessariamente agir para mudar essa situação. É possível também ter empatia, agir com caridade, mas evitar engajamentos antissistêmicos que resolveriam o problema pela raiz.

Solidariedade é mais que isso. No sentido revolucionário, é práxis e nos leva à necessária compreensão de que precisamos de ação organizada e coletiva para combater as raízes conjuntas desses problemas. Também exige que olhemos para o futuro e para as gerações que estão por vir e consideremos a solidariedade para com elas também – uma *solidariedade intergeracional*. Se não estarei mais por aqui para ajudar pessoalmente, cabe a mim me juntar a outros e lutar por um futuro com menos desafios.

É por isso, também, que no marxismo rejeitamos uma visão de representatividade meramente simbólica ou individual. É evidente que representatividade simbólica tem importantes impactos – por dar exemplo, por inspirar, por se permitir ver na representação do outro. No entanto, há limites. Primeiro, mais mulheres burguesas não é algo a desejar quando o objetivo é destruir a burguesia. Nesse caso, a representatividade simbólica tem destaque, mas seu significado é normalizador e contraditório quando se considera que mais mulheres estão no topo exercendo poder sobre outras ainda exploradas na base.

Segundo, mesmo que seja questão de, por exemplo, conquistar mais espaços importantes, como mais pessoas negras doutoras, mais travestis na televisão, mais cadeirantes eleitos, é necessário garantir que a representatividade simbólica tenha conteúdo voltado a emancipar as demais pessoas de cada grupo oprimido. Essa representatividade concreta, com conteúdo, fará ainda mais diferença, porque exige coerência coletiva (afastando perspectivas individualistas sobre alcançar o topo) e porque deve ser solidária com todos os que querem ser ouvidos e querem lutar.

A partir dessa linha, é possível compreender a razão de mais e mais marxistas rejeitarem perspectivas de hierarquia entre as opressões. O papo de "classe vem primeiro, raça vem depois" e similares, que ainda habita certos círculos comunistas, ignora que, só porque determinada opressão atinge diretamente um grupo, não quer dizer que sua força não impacte todas as outras relações sociais. Da mesma forma, equivocam-se papos como "mulher primeiro, depois o capitalismo". Esses partem de visões equivocadas sobre a raiz do problema. A opressão de gênero antecede o capitalismo, mas sua expressão hoje condiz e colabora com o sistema.

O materialismo histórico morre quando limitado a perspectivas economicistas. Falar de classe é falar de estrutura, e falar de estrutura nos remete às relações com outras opressões, e vice-versa. Erra o marxista que nega a importância da luta antiopressão ao almejar uma sociedade realmente livre – e erra por reduzir a materialidade a relações econômicas específicas. Isso resulta na própria negação da análise de totalidade.

Erra também a pessoa não marxista que olha para a pirâmide de opressões, que determina, por exemplo, a maior vulnerabilidade de mulheres negras que de mulheres brancas ao feminicídio, e pensa não em implodir a pirâmide, e sim em inflar seu topo.

Por fim, erra qualquer um que elabora sobre opressões como se fosse uma competição para ver quem sofre mais e confunde a necessária ampliação das vozes mais subalternas com uma suposta autoridade absoluta ao falar, concedida pelo próprio sofrimento, que torna a pessoa inquestionável e incriticável.[173] Pelo contrário, devemos reconhecer que quem sofre tem muito a ensinar – e, com uma postura solidária, ensinará aprendendo e aprenderá ensinando. A solidariedade pode ser a liga de politização a reconciliar consciências contraditórias.

---

173. Wendy Brown, *States of Injury: Power and Freedom in Late Modernity* (Princeton: Princeton University Press, 1995).

Preciso reiterar que não será fácil. É por isso que gosto de tratar o engajamento na transformação do mundo como uma jornada. A caminhada é longa, há momentos mais acelerados e outros mais lentos. Tem tarefas que a gente vai ter que cumprir sozinha e outras em comunidade, mas mesmo as tarefas individuais precisam ser vistas como parte de um revezamento.

A noção de poder para mudar as coisas na sociedade ainda é muito atrelada a dinheiro e visibilidade, e isso não se dá por acaso. Bilionários conseguem alterar aspectos enormes da sociedade com atitudes simples. É possível quebrar países inteiros simplesmente com a manipulação financeira da moeda. O boicote de um bilionário e suas corporações a um país pesa muito mais que o boicote individual de uma pessoa comum. O capital realmente atravessa todas as relações em algum nível, e isso demonstra como a desigualdade econômica é uma desigualdade de poder.

Todo este livro é sobre poder: de um lado, quem tem o poder, como adquire poder, o que faz com esse poder; do outro lado, como tomar o poder, a criação de um poder popular, o que fazer com esse poder.

Há também uma disputa por visibilidade. Cada vez mais, a visibilidade de alguém ou de um projeto se traduz em influência, em politização ou despolitização, em acumular riquezas ou ao menos seguidores. Isso contribui para a piora da tendência do personalismo, que ocorre quando se confunde a necessidade de lideranças com a necessidade de salvadores da pátria, profetas incriticáveis e super-humanos que aparentam ter poderes que outros mortais não têm.

Pois bem, se nosso objetivo é alcançar o poder popular, devemos fugir das tendências personalistas. Um dos caminhos para evitar essa transformação de lideranças e referências políticas em heróis, já que é bastante despolitizador, é justamente a possibilidade de questionar os projetos defendidos por essas pessoas.

Seria absurdo supor que lideranças políticas não tenham projeto pessoal em suas atividades. A total ausência de projeto pessoal apenas contribui para visões de fantoches, por completo subordinados a fontes externas, ou alguma espécie de santos, tão superiores em quesitos morais que agem apenas em função de terceiros. O que muda no enfrentamento ao personalismo é a proposta de que lideranças e referências dispostas a transformar o mundo de maneira radical precisam relacionar seus projetos pessoais aos projetos coletivos. Sem essa responsabilização, o acúmulo de visibilidade pode levar ao pessoal ditar o coletivo.

Isso ocorre, por exemplo, quando uma organização se torna dependente da figura de um líder específico (mais dependente da figura que de seu trabalho cotidiano) a ponto de não operar normalmente sem ela; ou pior, entrega o rumo do projeto coletivo a apenas uma pessoa – e talvez seu círculo mais próximo. Quando essa lógica é internalizada, além do personalismo, passa a ser necessário combater a burocratização, em que cargos internos acumulariam mais influência e poder decisório que instâncias de deliberação ampla. Ambas as tendências ameaçam um projeto de democracia radical. É por isso que não se pode esperar que esses problemas surjam para combatê-los, já que seu surgimento está atrelado a problemas nas condições materiais que criam um espaço propício para esses vícios.

Resistência e revolução são coisas diferentes, mas devem estar interligadas em um processo dialético. Sem resistência, não há condições para revolucionar. Sem uma construção revolucionária no horizonte, a resistência se torna frágil, passageira e cooptável. É possível resistir individualmente a uma experiência individual de opressão, mas para contornar completamente essa vulnerabilidade a resistência precisa se conectar com o todo. Afinal, "resistência que é aleatória e isolada é claramente menos eficaz que aquela que é mobilizada através de práticas politizadas sistêmicas de ensino e aprendizado".[174]

---

174. bell hooks, *Teaching to Transgress: Education as the Practice of Freedom* (Nova York: Routledge, 1994) (tradução livre).

É como a compreensão de que assistência é importante para quem passa fome e outras necessidades: não podemos nos dar por satisfeitos com apenas a assistência. É preciso alterar a realidade para que menos pessoas se encontrem na situação de necessidade em primeiro lugar. A assistência dá fôlego para resistir à pobreza, e a revolução torna a assistência eventualmente obsoleta com a abolição da própria pobreza. Apenas para quem adere à ideologia do capitalismo essas ações parecem excludentes, quando, numa perspectiva revolucionária, a solidariedade imediata se casa com a construção de longo prazo em um compromisso histórico pela transformação.

Como diz Angela Davis, "revolução é uma coisa séria, a coisa mais séria na vida de uma pessoa revolucionária. Quando alguém se compromete com a luta, deve ser para sempre".[175]

Com a popularização de certos debates, alguns mais politizados e outros bem despolitizados, o significado de ser revolucionário talvez se perca. Há inclusive pessoas que sentem medo desse termo, pois consideram a sociedade atual menos violenta que um processo revolucionário ou porque confundem a defesa e organização da classe trabalhadora com a repressão sanguínea do Estado burguês. Espero que o debate destas páginas ajude a desmistificar o que é ser revolucionário.

Mas há também outro caso, que tem a ver com o distanciamento da ideia de revolucionário e de militante de seu significado de engajamento em ação política organizada. Qualquer um que problematiza algum debate hoje pode ser visto como militante na internet, mas uma amostra de consciência política não necessariamente indica militância. Militância não se faz sozinha e exige muita disciplina. Eu, particularmente, associo militância a várias coisas, inclusive pegar e cumprir tarefas necessárias e organizar os tipos de tarefas com outros camaradas, presencial ou mesmo virtualmente.

É também por isso que devemos rejeitar a compreensão de revolucionário que ignora a parte de pensar e agir; ou seja,

---

175. Angela Davis, *Uma autobiografia* (São Paulo: Boitempo Editorial, 2019).

uma visão de revolucionário que nega o pré-requisito da práxis. Não basta falar como revolucionário, é preciso dar sentido ao que se fala, e esse sentido é coletivo, vivo e sujeito a ser debatido e responsabilizado.

Não adianta ler toda a teoria do mundo e guardá-la para si, para poucos amigos ou entre paredes da universidade. Também não adianta marcar presença em todas as manifestações, mas não se organizar para outras ações e debates sobre o que fazer. Ser revolucionário é questão de práxis, não de simples identidade a assumir como autoafirmação ou para ser aceito em certos círculos.[176] Isso vale para qualquer um que se afirme marxista, não importa qual seja a vertente de interpretação.

PROCURAM-SE CAMARADAS

A decisão de se juntar a um grupo de pessoas para construir a partir de um projeto comum não é rápida e simples. Pode ser que, por ter referência política em algumas pessoas-chave de alguma organização, ou por afinidade de convivência, você imagine que a caminhada será mais fácil. Todavia, eu me incluo entre quem considera de suma importância combater a romantização da militância.

Há alguns anos estudo a fragmentação de esquerda – e até escrevi um livro exclusivamente sobre isso.[177] É por várias razões que a esquerda não se une. Há problemas de despolitização. Existe uma melancolia sobre derrotas vividas e o desejo de vencer rápido. Há também desconexões entre teoria e prática. Além disso, os rachas vão se tornando cada vez mais comuns não só porque existem divergências políticas sérias, mas também porque muitas vezes se pensa que só é possível conviver em uma organização se concordarmos umas com as outras integralmente.

---

176. André Brandão, "Marxismo-leninismo: Identidade ou práxis?", PCB, 2017, https://pcb.org.br/portal2/16441/marxismo-leninismo-identidade-ou-praxis/.

177. Fernandes, *Sintomas mórbidos: A encruzilhada da esquerda brasileira*.

Quero ser bem direta quanto a isso: nunca vai acontecer. Organizações políticas em que todas as pessoas pensam igual não são bem organizações políticas, e sim mais parecidas com seitas. O espaço para debate e para a crítica respeitosa deve estar sempre presente entre camaradas.

A camaradagem precisa ser presença confirmada no caminho de qualquer pessoa que pretende mudar o mundo. No campo marxista, existem dezenas de visões sobre como alcançar o socialismo. Uma delas é o ecossocialismo. Dentro do ecossocialismo, há também divergências sobre balanços históricos, táticas diante da conjuntura e estratégias gerais. Se o objetivo é gerar sínteses que agreguem mais pessoas e influenciem os outros grupos – em vez de uma lógica de conquista e derrota dentro do próprio campo socialista –, precisamos de camaradas.

E a camaradagem não é uma qualidade individual. Não é uma característica, como bem aponta Jodi Dean, mas uma relação.[178] Você é camarada de alguém, por uma relação política em que há pertencimento. E, se há pertencimento, há também confiança de que é possível segurar a barra da resistência juntos. Um camarada não precisa ser um grande amigo, mas precisa ser alguém em quem você pode confiar angústias políticas e de onde espera solidariedade.

Veja bem, como ecossocialista, parto de uma concepção específica do problema do capitalismo em relação à ruptura metabólica. Dessa visão metabólica, eu enxergo as interações entre tantas outras opressões. A partir desse diagnóstico, posso começar a traçar panoramas como um plano de descarbonização para ganhar tempo contra a crise climática[179], desmercadorização de serviços básicos, criação de mais instâncias de participação popular, centralidade dos movimentos sociais na formulação de políticas públicas e de sindicatos na criação e

---

178. Jodi Dean, *Comrade* (Londres: Verso, 2019).

179. Debates como o Green New Deal se inserem aqui e são disputados por ecossocialistas a favor de versões mais radicais.

manutenção de uma plataforma de empregos... São muitas tarefas que, juntas, colaboram com as condições para um possível momento revolucionário. Este enfrentará desafios próprios, mas, quanto mais fortes estivermos, menores serão as perdas e as desistências no caminho. Essa força depende, obviamente, de avaliarmos bem a correlação de forças e compreender que nós a influenciamos, que ela não ficará a nosso favor como num passe de mágica. Ela depende de politização, de consciência de classe, de capacidade de mobilização e do andar das disputas sérias e leais dentro da esquerda.

Por exemplo, se a maior parte da esquerda se preocupa com desemprego, mas apenas ecossocialistas e alguns outros grupos tratam a descarbonização como tão prioritária quanto, nosso papel enquanto ecossocialistas é oferecer uma síntese: um programa de transição de empregos rumo a setores renováveis, com treinamento e reciclagem oferecidos via setor público, investimento público em nova infraestrutura e planejamento feito junto com as organizações da classe trabalhadora e as comunidades impactadas/beneficiadas.[180] A síntese reconhece contradições e oferece uma saída de acordo com o horizonte estratégico – no caso, o ecossocialista.

Se a preocupação é com o desenvolvimento do Brasil, que possamos pautar melhorias e avanços, sim, mas em uma direção que concilia sustentabilidade com autonomia energética, alimentar e de serviços básicos, de forma que o Brasil não exporte bens naturais em níveis exorbitantes por preços baixíssimos.

Portanto, a tarefa exige mobilização a partir dos povos periféricos, de onde a destruição da natureza se dá principalmente para servir aos interesses dos grandes centros capitalistas. Como argumenta Enrique Dussel, não se pode esperar que os grandes centros mudem radicalmente seu modo de produção por conta própria, já que isso implicaria a destruição do modo capitalista

---

180. Sabrina Fernandes, "Ecosocialism from the Margins", *NACLA Report on the Americas 52*, nº 3 (2020): 142.

e imperialista econômico da própria classe dominante. A tarefa exige a articulação a partir da periferia ou, como coloco, das margens do sistema.[181] Nas palavras de Dussel,

> a libertação política da periferia pareceria ser, então, a condição essencial da possibilidade da regeneração do equilíbrio ecológico natural, se trata de libertação, de afirmação da exterioridade cultural e não somente de imitar o processo econômico e tecnológico destrutivo do centro. Seria a humanização autêntica da natureza, a cultura na justiça.[182]

Na América Latina, encontramos problemas comuns cujo remédio pode ser associado à luta contra a mudança climática e por uma reconciliação ecológica. Se o movimento por moradia pauta a urgência de contemplar a população com o direito a viver em uma residência segura, com saneamento básico, manutenção acessível e que não lhe custe 50% ou mais do salário da família, a síntese se encontra no planejamento de edificações mais eficientes em uso energético, de materiais mais sustentáveis e que são mais baratos.[183] Que os domicílios sejam em bairros que facilitam a vida do pedestre, onde moradores partilhem de lazer e cultura ao mesmo tempo que acessem alimentos orgânicos de hortas comunitárias e feiras livres de agricultores locais.

São tarefas complexas e, por isso, há quem argumente que deveríamos ter mais fé na tecnologia, pois ela ajudará a resolver todos esses problemas – ou pelo menos a amenizá-los. Como mencionei, salvo alguns casos específicos, a tecnologia em si não é o problema; a questão é como ela é usada para dominar e

---

181. Fernandes, "Ecosocialism from the Margins".

182. Enrique Dussel, *Filosofía de La Liberación* (México: Fondo de Cultura Económica, 2011), n.p. (tradução livre).

183. Kate Aronoff et al., *A Planet to Win: Why We Need a Green New Deal* (Londres: Verso, 2019).

perpetuar um modo de produção destrutivo. Historicamente, a tecnologia dos combustíveis fósseis gerou muitos ganhos, mas é problemático como ela segue dominante mesmo após sabermos de seus danos e sabermos onde e como investir em tecnologias alternativas e renováveis.

Mesmo no meio das tecnologias alternativas, devemos nos manter alertas. Promessas ousadas de novas tecnologias que podem amenizar ou retardar o ritmo do aquecimento global não passam no teste de viabilidade e confiabilidade dos climatólogos, ainda mais quando consideramos a escala do problema. Quer dizer que modelos de sequestro de carbono são impossíveis? Não, mas, mesmo que se tornem eficazes globalmente, chegam acompanhados de outros problemas, como de armazenamento e de ética.

O que me preocupa aqui é quanto tecnologias marginais e incertas são vendidas ideologicamente como forma de proporcionar uma falsa sensação de que estamos a salvo. Isso permitiria que pudéssemos seguir no mesmo caminho com a tranquilidade de que resolveremos a questão do carbono adiante. Todavia, o IPCC aponta que, mesmo que isso seja possível, lidaremos com as consequências de ultrapassar certos limites climáticos para, apenas depois, retornarmos a um equilíbrio que não existe mais.[184] É como um balão de aniversário: você pode inflá-lo e depois desinflá-lo, mas ele não voltará à forma original.

Naomi Klein, por exemplo, aponta como bilionários e até corporações do setor de combustíveis fósseis, há décadas, têm investido na "geoengenharia" e promovido pesquisa na área com o intuito de manter a exploração de combustíveis sujos pelo maior tempo possível, extraindo lucro até a última gota.[185] No

---

184. IPCC, *Summary for Policymakers*, ed. V. Masson-Delmotte et al., *Global Warming of 1.5°C. An IPCC Special Report on the Impacts of Global Warming of 1.5°C above Pre-Industrial Levels and Related Global Greenhouse Gas Emission Pathways, in the Context of Strengthening the Global Response to the Threat of Climate Change*, (Geneva, 2018), 17.

185. Naomi Klein, *This Changes Everything* (Nova York: Simon & Schuster, 2014), 283.

mais, tais propostas não abordam os demais elementos da crise ecológica que estão atrelados ao modo capitalista desde a raiz. São propostas, não são sínteses.

A síntese não é um ponto-final, então ela não apresenta todas as soluções. No entanto, ela é mais que mera proposta, pois altera relações de forma a operar como um novo ponto de partida. Assim, cumpre muito bem seu papel de agregar grupos.

Se a solidariedade é a liga entre as pautas que demandam a transformação radical do mundo, a camaradagem é a fibra política que permite atar os nós das sínteses. A camaradagem gera ganhos em maturidade política, amparo para não desistir, e responsabiliza quando necessário, porque ser camarada envolve compreensão, mas não é passar a mão na cabeça. É seguir caminhando junto, mesmo nos trechos mais difíceis.

Isso tudo exige bastante criatividade. Já parou para pensar como o gênero de filmes e livros de ficção sobre o futuro baseado em distopias se destaca muito mais que sobre a construção de utopias concretas? Por que é tão mais fácil imaginar o fim do mundo que o fim do capitalismo, o fim da exploração humana, o fim da exploração animal, o fim da destruição da natureza? Por que será que consideramos muito mais fácil enxergar o fim do mundo que um outro fim do mundo?

O mote central do Fórum Social Mundial é "um outro mundo é possível", mas, para além disso, vale afirmar que um outro fim do mundo é possível. O tempo é muito maior que nós, e essa realidade não é para sempre. Mas por que insistimos em um modo de produção e reprodução da vida que apressa tanto o fim?

Aqueles que insistem que não há alternativa ou ganham com a distopia, ou sucumbiram a ela. E essas pessoas não gostam de conversas sobre mudanças radicais e revolução. Como descreve Ailton Krenak, elas "pregam o fim do mundo como uma possibilidade de fazer a gente desistir dos nossos próprios sonhos".[186] Os primeiros fazem isso pelo lucro; os segundos,

---

186. Krenak, *Ideias para adiar o fim do mundo*.

pelo conforto mórbido do fatalismo. Os primeiros devemos derrotar na luta para escapar não apenas do capitalismo como modo de produção, mas também do capital como princípio que rege nossa relação metabólica. Os segundos devemos politizar para que engajem em sua própria conscientização.

Vivemos um momento crucial. A luta por sobrevivência cai sobre todo o planeta ao mesmo tempo, com desafios mais comuns que antes, onde a imensa maioria só terá forças para resistir e superar a condição atual se ousar questionar a hegemonia da minoria de bilionários, burgueses, chefes de Estado capitalistas e seus agentes. Para que isso seja possível, é preciso passar a mensagem adiante. Que cada pessoa preocupada com o mundo e que cogita sua mudança rumo a uma utopia – e não uma distopia – se engaje também.

Nosso momento é de soma de todas as crises. É uma encruzilhada cujas raízes históricas se interligam profundamente em contradições que precisamos resolver.[187] O que está em jogo é a articulação de forças para evitar uma grande distopia. É a luta por um século 22 para nossos descendentes e biomas com todas as espécies com que dividimos nossa casa.

Se quiser mudar o mundo, vamos mudá-lo juntos. Já é hora de começar.

---

187. Thiago Ávila e Sabrina Fernandes, "Construindo uma alternativa de transformação no Brasil e no mundo", Subverta, 2018, https://subverta.org/2018/11/06/resistencia-e-bem-viver/.

Agradecimentos

Por mais que o processo da escrita aparente ser solitário, essa é raramente minha experiência.

Este livro nasceu de um desejo profundo de exercitar a didática para abordar temas complicados, e eu não teria conseguido sem o apoio e os "pitacos" de muitos.

Gostaria de agradecer a amizades queridas e camaradas por caminharem comigo, em especial Debora Baldin, Gabrielle Nascimento, Ioná Ricobello, Guilherme Ziggy, Aline Klein, Ben Fogel, Guilherme Terreri, Sandra Guimarães, Marília Moschkovich, Daniel Abreu e Lucas B. Resende. Agradeço também aos camaradas de Subverta pela coletividade e a garra pelo ecossocialismo.

Um obrigada especial ao amigo Gabriel Tupinambá. Nossas conversas sempre iluminam algo para mim, e sua gentileza em ler o livro com comentários e críticas pertinentes fez toda a diferença.

Escrevi estas páginas durante meu pós-doutorado em parceria com a Fundação Rosa Luxemburgo, e agradeço aos escritórios na Alemanha e no Brasil o suporte e as oportunidades de colaboração, e a Stefan Fornos Klein a orientação, sempre solícita.

Meu carinho especial a meu pai e minha mãe, sempre queridos, a meu irmão, Samuel, e minha irmã, Sinara, sempre presentes. O apoio deles em tantas áreas da vida torna a jornada mais leve.

Finalmente, agradeço à Editora Planeta pela oportunidade e aos apoiadores de meu trabalho como comunicadora, que me permitem ensinar e aprender em meio a uma mistura de humildade e ousadia também no espaço digital.

Lista de referências

Aliança Nacional LGBTI e GayLatino. *Manual de Comunicação LGBTI+*. Curitiba: Núcleo de Estudos Afro-Brasileiros – Universidade Federal do Paraná, 2018.

Aliança pelo Marxismo e a Libertação Animal. "XVIII Teses Sobre Marxismo e Libertação Animal". *Revista Latinoamericana de Estudios Críticos Animales* II, nº 178-198 (2019).

Almeida, Silvio. *O que é racismo estrutural?* Belo Horizonte: Editora Letramento, 2018.

Alvaredo, F., L. Chancel, T. Piketty, E. Saez e G. Zucman. "World Inequality Report 2018 Executive Summary", 2018, 20.

Andrade, Rafael de Almeida. "Trabalho, ontologia e consciência de classe: A classe 'em-si e para-si' em György Lukács". *Revista Aurora* 12, nº 1 (2019): 107-20.

Aronoff, Kate, Alyssa Battistoni, Daniel Aldana Cohen e Thea Riofrancos. *A Planet to Win: Why We Need a Green New Deal*. Londres: Verso, 2019.

Arruzza, Cinzia. "Considerações sobre gênero: Reabrindo o debate sobre patriarcado e/ou capitalismo". *Revista Outubro*, nº 23 (2015): 33-56.

Arruzza, Cinzia, Tithi Bhattacharya e Nancy Fraser. *Feminismo para os 99%: Um manifesto*. São Paulo: Boitempo Editorial, 2019.

Ávila, Thiago e Sabrina Fernandes. "Construindo uma alternativa de transformação no Brasil e no mundo". Subverta, 2018. https://subverta.org/2018/11/06/resistencia-e-bem-viver/.

Bakunin, Mikhail. *Mikhail Bakunin – Textos Escolhidos*. Rio de Janeiro: Zangu Cultural, 2017.

Barreto, Eduardo Sá. *O capital na estufa: Para a crítica da economia das mudanças climáticas*. Rio de Janeiro: Editora Consequência, 2018.

Beauvoir, Simone. *Por uma moral da ambiguidade*. Rio de Janeiro: Editora Nova Fronteira, 2005.

Benevides, Bruna G. e Sayonara Naider Bonfim Nogueira. *Dossiê: Assassinatos e violência contra travestis e transexuais brasileiras em 2019*. São Paulo: ANTRA, 2020.

Benjamin, Walter. "Sobre o conceito de história (1940)". In *Magia e técnica, arte e política. Obras escolhidas, v. I*. São Paulo: Editora Brasiliense, 1987.

Blyth, Mark. *Austeridade: A história de uma ideia perigosa*. São Paulo: Autonomia Literária, 2017.

Bolognesi, Luiz. "Uma história de amor e fúria", *Globo Filmes*, 2013.

Borges, Juliana. *O que é encarceramento em massa?* Belo Horizonte: Editora Letramento, 2018.

Borges, Samuel Silva da Fonseca. "Imagens da ideologia punitiva – Uma análise de discurso crítica do Movimento Brasil Livre." *Dissertação de Mestrado*. Universidade de Brasília, 2019.

Brandão, André. "Marxismo-leninismo: Identidade ou práxis?". PCB. 2017. https://pcb.org.br/portal2/16441/marxismo-leninismo-identidade-ou-praxis/.

Brown, Wendy. *States of Injury: Power and Freedom in Late Modernity*. Princeton: Princeton University Press, 1995.

Chomsky, Noam. *On Anarchism*. Londres: Penguin Books, 2013.

Corrêa, Felipe. *Bandeira negra rediscutindo o anarquismo*. Curitiba: Editora Prismas, 2015.

Crus, Ana Vládia Holanda. "Militarização da questão social e criminalização da pobreza: O que a história nos ensina?" In *Desmilitarização da polícia e da política: Uma resposta que virá das ruas*. Uberlândia: Pueblo, 2015.

Datafolha e Fórum Brasileiro de Segurança Pública. "Visível e invisível: A vitimização de mulheres no Brasil", 2ª edição, 2019.

Davis, Angela. *A liberdade é uma luta constante*. São Paulo: Boitempo Editorial, 2018.

———. "A liberdade é uma luta constante [Palestra]". In *Seminário Internacional "Democracia em colapso?"*. São Paulo: SESC | Boitempo Editorial, 2019.

———. *Uma autobiografia*. São Paulo: Boitempo Editorial, 2019.

———. *Women, Race and Class*. Nova York: Vintage Books, 1983.

Davis, Angela e Gina Dent. "A prisão como fronteira: Uma conversa sobre gênero, globalização e punição". *Revista Estudos Feministas* 11, nº 2 (2003): 523-31.

Davis, Mike. *Planeta favela*. São Paulo: Boitempo Editorial, 2006.

Dean, Jodi. *Comrade*. Londres: Verso, 2019.

Döpfner, Mathias. "Jeff Bezos Interview with Axel Springer CEO on Amazon, Trump, Blue Origin, Family, Regulation – Business Insider". Business Insider, 2018. https://www.businessinsider.com/jeff-bezos-interview-axel-springer-ceo-amazon-trump-blue-origin-family-regulation-washington-post-2018-4.

Dussel, Enrique. *Filosofía de La Liberación*. México: Fondo de Cultura Económica, 2011.

Eagleton, Terry. *Ideologia: Uma introdução*. São Paulo: Editora da Universidade Estadual Paulista: Boitempo Editorial, 1997.

Engels, Friedrich. *A dialética da natureza*. 6ª edição. Rio de Janeiro: Paz e Terra, 1979.

———. *A origem da família, da propriedade privada e do Estado*. Rio de Janeiro: Civilização Brasileira, 1984.

———. "Engels to J. Bloch - In Königsberg". *Selected Letters*, 1890.

———. "Engels to J. Bloch - In Königsberg", in *K. Marx, F. Engels, V. Lenin on Historical Materialism: A Collection*, 294-96. Progress Publishers, 1972.

Ernesto Che Guevara. "A María Rosario Guevara - La Habana, 20 de Febrero de 1964 - Sobre Cartas". La Habana, 1964.

Esteban Ortiz-Ospina. "Historical Poverty Reductions: More than a Story about 'Free-Market Capitalism' – Our World in Data". Our World in Data, 2017. https://ourworldindata.org/historical-poverty-reductions-more-than-a-story-about-free-market-capitalism.

Fanon, Frantz. "Racismo e cultura". In *Revolução africana: Uma antologia do pensamento marxista*. Editado por Jones Manoel e Gabriel Landi Fazzio. São Paulo: Autonomia Literária, 2019.

Federici, Silvia. *O ponto zero da revolução*. São Paulo: Editora Elefante, 2019.

Fernandes, Florestan. *A revolução burguesa no Brasil: Ensaio de interpretação sociológica*. São Paulo: Editora Globo, 2006.

———. *Florestan Fernandes – Leituras & legados*. São Paulo: Global Editora, 2012.

———. *Sociedade de classes e subdesenvolvimento*. São Paulo: Global Editora, 2008.

Fernandes, Sabrina. "Ecosocialism from the Margins". *NACLA Report on the Americas* 52, nº 3 (2020): 137-43.

———. *Sintomas mórbidos: A encruzilhada da esquerda brasileira*. São Paulo: Autonomia Literária, 2019.

Fogel, Benjamin. "Brazil: Corruption as a Mode of Rule". *NACLA Report on the Americas* 51, nº 2 (2019): 153-58.

Fontes, Virgínia. "Capitalismo em tempos de uberização: do emprego ao trabalho". *Marx e o Marxismo – Revista Do NIEP-Marx* 5, nº 8 (2017): 45-66.

Foster, John Bellamy. *Marx's Ecology: Materialism and Nature*. Nova York: Monthly Review Press, 2000.

Foster, John Bellamy e Hannah Holleman. "The Theory of Unequal Ecological Exchange: A Marx-Odum Dialectic". *Journal of Peasant Studies* 41, nº 2 (2014): 199-233.

Foucault, Michel. *Vigiar e punir*. Petrópolis: Editora Vozes, 1999.

Freire, Paulo. *Conscientização: Teoria e prática da libertação*. São Paulo: Centauro Editora, 2001.

Gonzalez, Lélia. *Lélia Gonzalez: Primavera para as rosas negras*. Editado por União dos Coletivos Pan-Africanistas. São Paulo: UCPA Editora, 2018.

Gramsci, Antonio. "An Address to the Anarchists." *L'Ordine Nuovo*, 1920.

———. *The Gramsci Reader: Selected Writings 1916-1935*. Editado por David Forgacs. New York University Press. Nova York: New York University Press, 2000.

Greenwald, Glenn. *Sem lugar para se esconder – Edward Snowden, a NSA e a espionagem do governo americano*. Rio de Janeiro: Sextante, 2014.

Hari, Johann. *Na fissura: Uma história do fracasso no combate às drogas*. São Paulo: Companhia das Letras, 2018.

Harvey, David. *A loucura da razão econômica: Marx e o capital no século XXI*. São Paulo: Boitempo Editorial, 2018.

Hill Collins, Patricia. *Pensamento feminista negro*. São Paulo: Boitempo Editorial, 2019.

Hooks, Bell. *Ensinando a transgredir: A educação como prática da liberdade*. São Paulo: Editora WMF Martins Fontes, 2013.

———. *Teaching to Transgress: Education as the Practice of Freedom*. Nova York: Routledge, 1994.

IBGE. "Censo demográfico 2010: Características urbanísticas do entorno dos domicílios." *Censo demográfico 2010* 41 (2012): 1-81.

IPCC. *Summary for Policymakers*. Editado por V. Masson-Delmotte, P. Zhai, H.-O. Pörtner, D. Roberts, J. Skea, P.R. Shukla, A. Pirani et al. *Global Warming of 1.5°C. An IPCC Special Report on the Impacts of Global Warming of 1.5°C above Pre-Industrial Levels and Related Global Greenhouse Gas Emission Pathways, in the Context of Strengthening the Global Response to the Threat of Climate Change*. Geneva, 2018.

Johnson, Gaye Theresa e Alex Lubin, eds. *Futures of Black Radicalism*. Londres: Verso, 2017.

Karam, Maria Lúcia. "Proibição às drogas e violação a direitos fundamentais." *Law Enforcement Against Prohibition-LEAP Brasil*, 2013, 19.

Klein, Naomi. *This Changes Everything*. Nova York: Simon & Schuster, 2014.

Konder, Leandro. *Introdução ao fascismo*. 2ª edição. São Paulo: Expressão Popular, 2009.

———. *O que é dialética*. 28ª edição. São Paulo: Brasiliense, 1998.

Krenak, Ailton. *Ideias para adiar o fim do mundo*. São Paulo: Companhia das Letras, 2019.

Lang, Miriam. "Introdução: Alternativas ao desenvolvimento." In *Descolonizar o imaginário: Debates sobre pós-extrativismo e alternativas ao desenvolvimento*. Editado por Gerhard Dilger, Miriam Lang e Jorge Pereira Filho. São Paulo: Fundação Rosa Luxemburgo, Editora Elefante, Autonomia Literária, 2016.

Lenin, V. I. *V. I. Lenin Collected Works - Volume 22- December 1915 - July 1916*. Londres: Lawrence & Wishart London, 1974.

Lenin, Vladimir Ilitch. "Centralismo democrático: 'Liberdade para criticar e unidade de ação'", 1906. https://www.marxists.org/portugues/lenin/1906/05/20.htm.

———. *O Estado e a revolução*. Campinas: Navegando Publicações, 2011.

Liguori, Guido e Pascuale Voza, eds. *Dicionário gramsciano*. São Paulo: Boitempo Editorial, 2018.

Locke, John. *Dois tratados sobre o governo*. São Paulo: Martins Fontes, 1998.

Lorde, Audre. *Irmã outsider*. Belo Horizonte: Autêntica Editora, 2019.

Losurdo, Domenico. *Contra-história do liberalismo*. Aparecida: Ideias & Letras, 2006.

Loureiro, Isabel. "Democracia e socialismo em Rosa Luxemburgo." *Crítica Marxista*, nº 4 (1997): 45-57.

Löwy, Michael. "Ecosocialism and Democratic Planning". *Socialist Register*, nº c (2015): 19-39.

———. "Treze teses sobre a catástrofe ecológica iminente". IHU-Unisinos, 2020. http://www.ihu.unisinos.br/78-noticias/596235-treze-teses-sobre-a-catastrofe-ecologica-iminente-artigo-de-michael-loewy.

Luther King Jr., Martin. *Stride Toward Freedom: The Montgomery Story*. Nova York: Harper&Row Publishers, 1958.

Luxemburgo, Rosa. *Greve de massas, partido e sindicatos* (1906). Coimbra: Centelha, 1974.

———. *Rosa Luxemburgo: Textos escolhidos - volume 1 (1899--1914)*. Editado por Isabel Loureiro. São Paulo: Editora Unesp, 2011.

———. *Rosa Luxemburgo: Textos escolhidos - volume 2 (1914--1919)*. Editado por Isabel Loureiro. São Paulo: Editora Unesp, 2011.

Machado, Bárbara Araújo. "Interseccionalidade, consubstancialidade e marxismo: Debates teóricos e políticos". In *Anais do Colóquio Internacional Marx e o Marxismo, 1867-1917*. Núcleo Interdisciplinar de Estudos e Pesquisas sobre Marx e o Marxismo (NIEP-Marx), 2017.

Manoel, Jones. "A luta de classes pela memória: Raça, classe e revolução africana". In *Revolução africana: Uma antologia do pensamento marxista*. São Paulo: Autonomia Literária, 2019.

Marcuse, Herbert. *Five Lectures: Psychoanalysis, Politics, and Utopia*. Londres: Allen Lane The Penguin Press, 1970.

———. *Razão e revolução*. Rio de Janeiro: Paz e Terra, 1978.

Marini, Ruy Mauro. "Duas notas sobre o socialismo". *Lutas Sociais* 0, nº 5 (1998): 107-23.

Marques, Luiz. *Capitalismo e colapso ambiental*. Campinas: Editora Unicamp, 2015.

Marx, Karl. *Capital: Volume I*. Traduzido por Ben Fowkes. Nova York: Knopf Doubleday Publishing Group, 1977.

———. *Capital: Volume III*. Londres: Penguin Books, 1981.

———. *O 18 de brumário de Luís Bonaparte*. São Paulo: Boitempo Editorial, 2012.

———. *O capital [Recurso eletrônico]: Crítica da economia política: Livro I: O processo de produção do capital*. São Paulo: Boitempo Editorial, 2013.

———. "Salário, preço e lucro." The Marxists Internet Archive, 1865.

———. "Theses on Feuerbach". In *Selected Writings*. Indianapolis: Hackett Publishing Company, 1994.

Marx, Karl e Friedrich Engels. *Manifesto do Partido Comunista*. São Paulo: Boitempo Editorial, 1998.

Mello, Anahi Guedes de. "Deficiência, incapacidade e vulnerabilidade: Do capacitismo ou a preeminência capacitista e biomédica do Comitê de Ética em Pesquisa da UFSC". *Ciência e Saúde Coletiva* 21, nº 10 (2016): 3265-76.

Mendes Faustino, Deivison. "'Por que Fanon? Por que agora?': Frantz Fanon e os fanonismos no Brasil". *Tese de Doutorado*. Universidade Federal de São Carlos, 2015.

Mészáros, István. *Para além do capital*. São Paulo: Boitempo Editorial, 2002.

Moura, Clóvis. *Sociologia do negro brasileiro*. São Paulo: Perspectiva, 2019.

Netto, José Paulo. *Introdução ao estudo do método de Marx*. São Paulo: Editora Expressão Popular, 2011.

Netto, José Paulo e Marcelo Braz. *Economia política: Uma introdução crítica*. São Paulo: Cortez Editora, 2012.

Newton, Huey. "Huey Newton fala ao The Movement sobre o Partido dos Panteras Negras". Nova Cultura, 1968. https://www.novacultura.info/single-post/2017/05/08/Huey-Newton-fala-ao-The-Movement-sobre-o-Partido-dos-Panteras-Negras.

Nitahara, Akemi. "Informalidade cai, mas atinge 38 milhões de trabalhadores | Agência Brasil". AgênciaBrasil, 2020. https://agenciabrasil.ebc.com.br/economia/noticia/2020-03/informalidade-cai-mas-atinge-38-milhoes-de-trabalhadores.

Nkrumah, Kwame. "O socialismo africano revisitado". In *Revolução africana: Uma antologia do pensamento marxista*. Editado por Jones Manoel e Gabriel Landi Fazzio. São Paulo: Autonomia Literária, 2019.

"O que é deficiência? (com Sidney Andrade)". *Central PCD - Podcast*, 2020.

ONU Brasil. "Mudança climática | ONU Brasil". Acesso em 10 de junho, 2020. https://nacoesunidas.org/acao/mudanca-climatica/.

OXFAM Brasil. "País estagnado: Um retrato das desigualdades brasileiras 2018". *Oxfam Brasil*, 2018, 66.

Palmer, Tim. "Short-Term Tests Validate Long-Term Estimates of Climate Change". *Nature* 582, nº 7811 (June 26, 2020): 185-86.

Paulani, Leda. "A crise, o devir do capital e o futuro do capitalismo". In *6º Fórum de Economia Promovido Pela FGV-SP*. São Paulo, 2009.

Pedro Carrano. "Venda da Vale completa 20 anos e foi um dos maiores crimes | Opinião". *Brasil de Fato*. 6 maio, 2017.

Pinto, Lucas Henrique. "Procesos de Ambientalización y Transición Agroecológica En El MST: Reforma Agraria Popular, Soberanía Alimentaria y Ecología Política". *Intexto*, n. 34 (2015): 294.

Plataforma Brasileira de Política de Drogas. "Droga é caso de política", 2018.

Política, Comitê Cearense pela Desmilitarização da Polícia e da política. "A (des)construção do criminoso: Entrevista com Orlando Zaccone D'Elia Filho". In *Desmilitarização da polícia e da política: Uma resposta que virá das ruas*. Uberlândia: Pueblo, 2015.

Prestes Pazello, Ricardo e Pedro Pompeo Pistelli Ferreira. "Tática e estratégia na teoria política de Lênin: Aportes para uma teoria marxista do direito". *Verinotio - Revista On-Line de Filosofia e Ciências Humanas* 23, nº 2 (2017): 126-51.

Ritchie, Hannah. "Plastic Pollution". *Our World in Data*, 2018.

Rosa Luxemburgo, *Greve de massas, partido e sindicatos* (1906) Coimbra: Centelha, 1974.

Sachs, Jeffrey D. *The End of Poverty: Economic Possibilities for Our Time*. Nova York: The Penguin Press, 2005.

Saito, Kohei. *Karl Marx's Ecosocialism*. Nova York: Monthly Review Press, 2017.

Santos, Cleiro Pereira dos, Lisandro Braga, Mário Maestri e Nildo Viana. *Capitalismo e questão racial*. Editado por Cleiro Pereira dos Santos e Nildo Viana. Rio de Janeiro: Editora Corifeu, 2009.

Schoolov, Katie. "How Amazon Is Fighting Back against Workers' Efforts to Unionize". CNBC, 2019. https://www.cnbc.com/2019/08/22/how-amazon-is-fighting-back-against-workers-efforts-to-unionize.html.

Simões, Nataly. "Negros e periféricos são os mais afetados pelo aumento da população carcerária no Brasil". Alma Preta, 2019. https://www.almapreta.com/editorias/realidade/negros-e-perifericos-sao-os-mais-afetados-pelo-aumento-da-populacao-carceraria-no-brasil.

Solón, Pablo. "Bem viver". In *Alternativas sistêmicas: Bem viver, decrescimento, comuns, ecofeminismo, direitos da Mãe Terra e desglobalização*. São Paulo: Editora Elefante, 2019.

Stockholm International Peace Research Institute. "Global Military Expenditure Sees Largest Annual Increase in a Decade—Says SIPRI—Reaching $1917 Billion in 2019 | SIPRI", 2020. https://www.sipri.org/media/press-release/2020/global-military-expenditure-sees-largest-annual-increase-decade-says-sipri-reaching-1917-billion.

Viana da Silva, Rafael. "Anarquismo: Uma introdução ideológica e histórica". Federação Anarquista do Rio de Janeiro - Organização Integrante da Coordenação Anarquista Brasileira. Acesso em 20 de junho, 2020. https://anarquismorj.wordpress.com/textos-e-documentos/teoria-e-debate/anarquismo-introducao-historica-rafael-v-da-silva/.

Wallace, Rob. *Big Farms Make Big Flu. Dispatches on Infectious Disease, Agribusiness, and the Nature of Science*, 2016.

Wright Mills, C. *A imaginação sociológica*. Rio de Janeiro: Zahar, 1982.

**Acreditamos
nos livros**

Este livro foi composto em ITC Berkeley Oldstyle
e impresso pela Gráfica Santa Marta para a
Editora Planeta do Brasil em março de 2022.